蘦硯齋叢書之十一

范耕研著

章實齋先生年譜

文史哲出版社印行

國家圖書館出版品預行編目資料

章實齋先生年譜 / 范耕研著. -- 初版. -- 臺北市
：文史哲，民 88
　　面：　　公分. -- （蕭硯齋叢書；11）
　　ISBN 957-549-213-7(精裝) ISBN 957-549-
214-5(平裝)

1.（清）章學誠 - 年表

782.975　　　　　　　　　　　　88007604

蕭　硯　齋　叢　書

章實齋先生年譜

著　　者：范　　　　耕　　　　研
出 版 者：文 史 哲 出 版 社
登記證字號：行 政 院 新 聞 局 版 臺 業 字 五 三 三 七 號
發 行 人：彭　　　　正　　　　雄
發 行 所：文 史 哲 出 版 社
印 刷 者：文 史 哲 出 版 社
　　　臺北市羅斯福路一段七十二巷四號
　　　郵政劃撥帳號：一六一八〇一七五
　　　電話 886-2-23511028 · 傳真 886-2-23965656
中 華 民 國 八 十 八 年 六 月 初 版

著者范耕研遺影

生於1894年農曆10月8日江蘇之淮陰
逝於1960年7月27日 上海市
享壽六十七歲

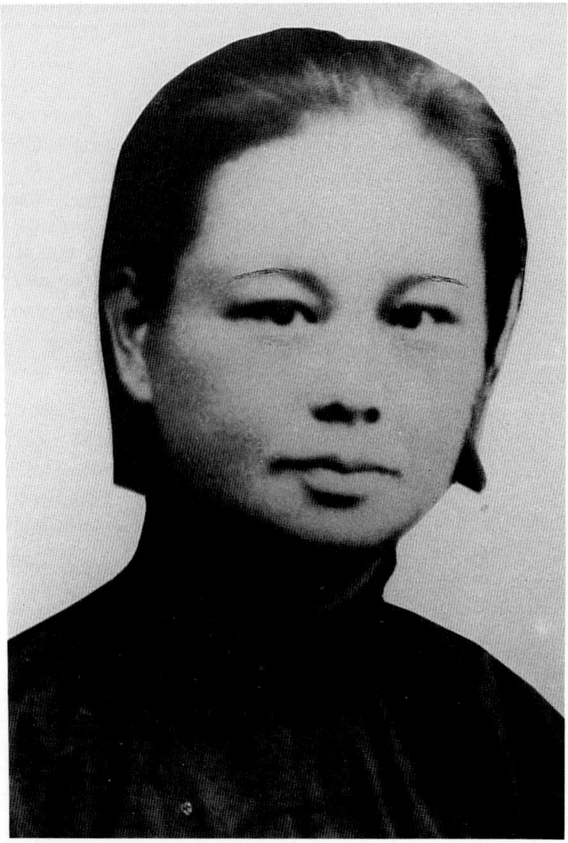

著者德配萬太夫人遺像
生於1899年農曆2月21日江蘇之淮陰
逝於1946年農曆2月6日淮陰水渡口老宅
享年四十八歲

章實齋先生年譜一卷

章實齋先生年譜目次

輯印說明

一、《章實齋先生年譜》一卷，全部爲先父手繕，寫於民國十六年（一九二七），稿成而無力付印。後二十餘年間，曾多次補充加注於書眉及行間，故扉頁雖有「丁卯莫春寫定」字樣，實仍屬未定稿。蓋尚有無定論及前後敍述相異之處可知。直至民國三十八年，由於大陸動盪，終未得全盤整理。身爲後代子孫，不欲先父多年心血白費，除打字排版外，另以原蹟照相付印，留待識者參考，毀譽未之計也。

二、年代久遠，墨筆所書之本文絲毫未見變色，後加硃筆之注亦頗醒目。而用藍墨水鋼筆所加之注則多漫漶不清，尤以近半年（八十二年）內之變化已遠較二弟滋去歲重錄時腐蝕爲甚，原破損各處不得不加以描繪復舊。

三、前各輯均影印數頁遺墨以爲紀念，此輯既附先父手稿，故未再贅列。

又以增添補充之資料，有多處並未標明應插於何所，為免誤解原意，故將原稿全部照相製版。以二十五開本似稍嫌狹長，特縮小69%，扉頁之「章實齋先生年譜一卷」縮小79%，「丁卯莫春寫定」則為原大小。

四、原稿用家「淮陰范氏三硯堂鈔藏」之特製版紙，版長十九點六公分，闊十三點六公分，因已縮小，特予敍明。

五、原稿係以雙行小字注於正文之後，以說明資料來源。若照其型式排版，則字體太小，影響閱讀，且雙行打字較複雜，故現改以括弧及以另一字型區別。民國十六年後逐一加注於上下眉，但不敢確定應插於何處之資料，則以另體低一格列於該年之末，不加括弧，以為區別。

六、各同義字輒隨原稿，未予統一。

七、原於人名與地名標出專名號，由於打字技術上有困難，遂作罷。

八、此係未定稿，已知有明顯之誤奪，經國立政治大學中文系董金裕教授訂正及另行查明者均已標出說明於各年之末，請與原稿參閱。

九、先父當時編注頁次時，漏列第「二十三」頁，並非缺佚。

十、原稿無標點，由二弟滋重新抄錄加注，並將上下眉注所添加之資料插入正文；再經董金裕教授校改，以便於閱讀。

十一、原稿無序，當係未定稿尚無印行之意，故仍用高　明教授之總序。董教授於校訂後復詳爲之序，說明與《胡譜》之異同及先父所寫之優缺，有助瞭解。

十二、如前各輯，刊印先父、母遺影以爲紀念。

高序

柳師劬堂嘗盛稱淮陰三范，以績學聞於南雍。伯尉曾，字耕研，號冠東，治周秦諸子；仲紹曾，攻物理、化學；叔希曾，字耒研，初爲歸、方古文，繼爲目錄、版本之學，皆有聲於時。先兄孟起與三范同時就讀於南京高等師範，與耕研之私交尤篤，常爲余言之。民國十四年，余入南雍，每訪龍蟠里國學圖書館，猶及見耒研，繼讀其書目答問補正，更深儀其人。顧余卒業於南雍時，耒研業棄世。遭時喪亂，先兄故於行都之歌樂山，與范氏之音訊遂絕。一月前，鹽城司敎授琦兄來訪，述及其鄉賢范君耕研之長公子名震者在臺，今春曾返鄉探親，攜出其父叔遺稿之倖存者如墨辯疏證、呂氏春秋補注、莊子詁義（未刊稿）、書目答問補正，及其父之詩詞殘存於日記中者將輯集之，並刊爲范氏遺書，而屬其問序於余。余知耕研所著尙有文字略十卷、淮陰藝文考略八卷、韓非子札記二卷、張右史詩評二卷、宋史陸秀夫傳注一卷，均於所謂「文化大革命」時燬佚於紅衞兵之手；其子恐其父叔之心血所注，若再亡佚，將何以對先人於泉下，乃有遺書之刊印。其孝思之誠篤，在今日不可多見，實足以風世而正俗矣，因樂而爲之序。

中華民國七十八年三月　高郵高　明謹撰於木柵之雙桂園。

董序

有清乾嘉時代的學者章學誠實齋，處於考據風氣熾盛的環境之下，奮然不顧流俗，融會經史文學，在學術上提出了許多獨到的見解。然則由於與時尚不合，所以在他生前，雖然也有一些學者對其觀念表示讚賞，但是大多數的人並未給予相當的重視。以致實齋一生窮愁潦倒，身死之後，遺著更多經流徙，並且迭遭無識者妄以己意竄改，遭遇極爲坎坷。及至清末民初，西學東傳，大家才發覺實齋的不少看法竟與之不謀而合，有些甚至於較西方人提出得更早。因此從民國以來，便有部分學者展開對章實齋學術的研究。

要研究一個人的學術，首先必須對他的生平有清楚的了解。可惜章實齋因爲不論生前或死後，聲光都很隱晦，所以像錢林、王藻編的《文獻徵存錄》、李桓編的《國朝耆獻類徵》，雖然都有章實齋的傳記，但是卻只是寥寥數行而已，甚至還把他的姓誤寫爲「張」。至於譚獻的《復堂存稿》，則替實齋作了一篇〈文林郎國子監典籍會稽章公傳〉，對章實齋甚表推崇，然而重點卻放在實齋的課蒙論上，並未能掌握其學術的眞正精神所在。因此要從事章實齋的研究，比較詳細的傳記，以至於年譜，就顯得十分重要而迫切了。

民國九年（一九二〇），第一部章實齋先生年譜終於問世，不過讓我們感到很慚愧的是作者乃日本人內藤虎次郎，作品發表於《支那學》卷一第三、四期。內藤先生所作的年譜，固然有開創之功，可是內容實在太簡略，所載的也不一定是實齋生前較重要的事情，尤其對於實齋學術的發展演變情形，幾乎沒有交代。胡適先生爲此感到不愜，而於民國十一年（一九二二）撰成新的章實齋先生年譜，由上海商務印書館出版。此譜不僅介紹了實齋一生的重要事蹟，尤貴能掌握其學術的變遷沿革。民國十七年

（一九二八），姚名達先生受胡適先生的囑託，對原譜作了增補的工作，而於同年仍由上海商務印書館印行（以下簡稱《胡譜》）。內容更加充分而翔實，頗受學界的肯定。

然則作年譜，不管再怎麼詳實，總難免還會有缺漏或失誤之處，所以淮陰范耕研先生又於民國十六年（一九二七）三月，寫成這部《章實齋先生年譜》（以下簡稱《范譜》），其事在胡適先生撰就年譜之後，而早於姚名達先生之作增補工作。從《范譜》的內容看起來，可知范耕研先生已稔悉胡適先生有過章實齋年譜之作，然而仍要繼胡適先生之後，再度爲章實齋作年譜，必然有其特別的用心。此從《范譜》之內容加以探索，蓋不難獲知。如乾隆十六年辛未，年十四歲下，載云：

先生父勵堂先生家居聚徒授經，先生嬉戲左右，然聞經史大義，已私心獨喜，決疑質問，閒有出人擬議外者（〈與族孫汝楠論學書〉。）

由此可見章實齋在少年時期，性向已偏嗜經史大義，並且有其獨特的見地。這段資料應屬重要，可是《胡譜》並未述及。

又有《胡譜》簡略，而《范譜》加詳者，如乾隆四十四年己亥，年四十二歲下，載云：

是年，在永清客館時，遘危疾，家人不知死生耗（〈周筤谷別傳〉。）

而《胡譜》則僅記曰：

遇危疾（〈周筤谷別傳〉）。

既未指明地點，也看不出病情的嚴重。

此外，《范譜》更能指出前人記載的誤失之處，如乾隆三十一年，年二十九歲下，載云：

歐陽瑾先生官司成攝國子祭酒（按〈爲歐陽先生撰祭涂母江太孺人文〉謂：「昔在丙戌，余官司成。」云云。而〈歐陽先生奉使告祭碑書後〉則謂：「丙申攝國子祭酒」，申應作戌，此是嘉業堂刊本之誤。蓋丙申年歐陽先生已官祭告使矣。）

又如乾隆四十四年己亥，年四十二歲下，載云：

張維祺、周晴坡色然爭延先生，先生已就梁約，未之諾也，（〈庚辛之間亡友傳〉周箎谷跋謂：「此事在辛丑孟秋」，然辛丑時先生已辭梁他去，不得云就梁約，且志成已二年，而不得云新志成也。當是此年孟秋也。）

按《胡譜》亦謂周震榮跋原文「辛丑」係「己亥」之誤，但何以爲誤，並未加以解說。

又如乾隆五十三年戊申，年五十一歲下，載云：

胡適引內藤藏本《章氏遺書》目，有〈禮教所見〉二篇，題下皆注「戊申錄稿」，按王宗炎為先生編次稿本時，嘗復先生一書，有「〈禮教篇〉已著成否？」語；又謂「〈邵傳〉無可商者。」先生之作〈邵傳〉，在庚申病目之後，去此時尚有十年，〈禮教篇〉尚未著成，何緣於此年錄稿？內藤藏本必誤注也。

按《胡譜》雖然也根據王宗炎復章實齋書，認為有可疑，然而仍謂「內藤及會稽徐氏藏本《章氏遺書》目有〈禮教所見〉二篇，題下皆注『戊申錄稿』，疑即是年所作十篇之二。」

凡此都可以看出《范譜》嚴謹細密的一面，亦是《范譜》之優點所在。由是可知范耕研先生實有感於《胡譜》及諸家記載，蓋猶不免有考訂不夠精審之處，而思有以補正之也。

《范譜》固然有其可取者，然而疏略不足的地方亦尚有之，如一開始介紹譜主時，謂：

先生名學誠，字實齋，姓章氏。

對章實齋原名文斆，號少巖，則未嘗述及。

又如嘉慶六年辛酉，年六十四下，於實齋卒後，介紹其子嗣時，謂：

先生子女甚多，其可考者四人：長，貽選，字抒思，……；次，華紱，字授史，又字緒遷，……，四子某，名不詳，……。

按實齋共有五子：長，貽選（字抒思）；次，華紱（字授史，又字緒遷）；三子華綬，出繼爲實齋從兄垣業後；四子華練（字祖泉，號仍湖）；五子華紀（字竹書，號竹史）。此皆可從實齋所作各文考見，《胡譜》也作了詳細介紹。雖然《范譜》謂：「四子之外未審尚有他子否？」

闕疑精神固然可貴，但是考索猶欠精詳，則不可諱言。

另外，《范譜》又有前後記載有出入，未能充分照應者，最明顯的是嘉慶三年戊午，六十一歲下，載云：

五月，在蘇州陳方伯處，……，節鈔王知州〈雲龍記略〉一卷（〈雲龍記略〉，此事《胡譜》列在乾隆五十八年癸丑，未知何據？）

據嘉業堂《章氏遺書》刊本卷二十三〈節鈔王知州雲龍紀略〉，明言此事在「癸丑秋」，《胡譜》所記並無錯誤，而《范譜》一方面云《胡譜》未知何據？卻又在乾隆五十八年，年五十六歲下，載云：「節抄王鳳文〈雲龍紀略〉。」顯然是互相矛盾。

不過，《范譜》雖作者自謂於「丁卯莫春寫定」，但稿成之後，始終並未梓行，范耕研先生在此後二十餘年間，仍不斷的於書眉及行間作補充記述。一方面可以看出范先生的敬慎其事，另方面也可見此書蓋仍屬未定之稿，是故尚有以上所指陳的缺失，如其有機會出版，則於事前詳加比勘，當不難發現而加以補正。可惜到了民國三十八年(一九四九)，山河易色，范先生遭此大變局，恐已無心董理舊業，且於不久之後即歸道山，遂使此一部難得的著述無法公諸於世，無寧是對於章實齋研究的一大憾事。

按《范譜》於完成之後，既未刊刻問世，而藏於其家。迨民國八十一年(一九九二)，范耕研先生之長子范震大夫，遭時動亂，於睽違家園四十餘年之後，藉返鄉探親之機會，覓得其稿，距范耕研先生謝世已三十年矣。范震大夫爲表崇先人遺業，將遺稿攜返台灣，準備加以整理出版。因我過去曾撰寫過《章實齋學記》，對章氏之學略有所知，乃由司琦教授之介，囑我加以校訂，並爲作序。我深感此事意義甚大：一爲章實齋的學術見解與成就，確實值得我們重視表彰，然而時至今日，有關章實齋的各種研究仍嫌不足，《范譜》雖或不免尙有缺失，然而有其許多優點，可以作爲我們研究的資藉。二爲范耕研先生一輩子在中學執教，於研究環境不甚理想的情況下，猶能努力著述，除了《章實齋先生年譜》之外，還有已出版之《墨辯疏證》、《呂氏春秋補注》、《莊子詁義》、《莊子章旨及音》、《江都焦里堂先生年表》、《蘦硯齋詩文殘稿》、《說文部首授讀》及現正整理而即將問世之《學林》、《周易詁辭》、《莊子詁義全稿》，曁已佚失之《文字略》、《韓非子札記》及《張右史詩評》、《淮陰藝文考略》、《宋史陸秀夫傳》等著作。其孜矻匪懈之精神實令人十分敬佩。三爲范震大夫於懸壺濟世之餘，對於先人之德澤緒業，念茲在茲而謀彰顯之，其孝思孝行，尤其使人感動，在此社會風氣日趨澆薄之際，其所作爲，蓋足以諷世勵俗焉。因樂爲之序如上。

民國八十三年三月　董金裕謹識於政治大學中文系

章實齋先生年譜

先生名學誠，字實齋，姓章氏，浙江會稽人（見《兩浙輶軒錄補遺》、譚獻《復堂存稿》，而《文獻徵存錄》附〈邵晉涵傳〉作張學誠者誤。）。五代時太傅公之後（〈神堂神主議〉謂：「往在京師有福建、江西、江南諸籍貫者，皆曰太傅公裔。」按此，乃章氏所託始也。太傅公者，名仔鈞；五代時人，世居浦城，深沈有大度，年逾四十晦迹不仕。後以王審知尚知有唐，乃詣軍門，上〈戰攻守〉三策。審知大喜，館爲上客，奏授高州刺史檢校太傅北面行營招討使。在官有仁政，民甚懷之，卒贈忠憲王。有子十五人，孫六十八人，分居各省，後均蔚爲巨族。妻楊氏，以家居練湖，世稱練夫人，亦有賢德。〈神堂神主議〉中亦嘗述及之。）。由浦城而山陰，再徙而籍道墟（〈神堂神主議〉，又〈樂野先生家傳〉謂：「自文叔公於宋光、寧間，卜居偁山之陽是爲道墟。」）。道墟始祖於太傅公爲十三世孫（〈神堂神主議〉。）。歷元、明，迄先生時已五百年（〈偁山章氏後宅分祠碑〉謂：「自文叔公歷三世分族爲三，先生爲仲氏之後。」），子姓聚處，族屬蔓衍，負山阻海，迴環十里之間，比戶萬家，族之鉅者無若章氏（〈樂野先生家傳〉。）。而先生先世自道墟遷居府城，蓋亦百年（〈仲賢公三世像記〉。）。祖名某（未詳。），字君信，悁行隱德，望於鄉黨，尤嗜史學。晚歲閉關卻埽，不見一人；取司馬《通鑑》，往復天道人事，而於惠迪從逆吉凶影響之故，津津有味乎其言；嘗欲刊布《太上感應篇》，而未及爲（〈刻太上感應篇書後〉，按先生之祖嘗謂：「《太上感應篇》出於道藏，即《抱朴子》所稱《漢戒》，其言皆君子立身持己之要，未嘗謬於聖人，欲刊而未及爲。」先生之父習聞遺訓，欲爲作注釋，亦不果。先生承祖若父之意，乃於乾隆五十年乙巳，刊布其書。

又恐人之束閣也，則丐書於嘉善周稚，良工雕鏤之，庶幾文以書法而重，且酬其先志云。）祖母沈氏（朱筠《笥河文集》〈祭史孺人文〉。）。父名鑣，字驤衢，號勵堂（《笥河文集》〈祭史孺人文〉。）。母史氏，潁州府知府史義遵女，會稽人（〈孝感縣知縣史府君墓誌銘〉。按先生父母之事蹟依年分列譜內，茲不復贅。）。

乾隆三年戊午

先生生於紹興府城（〈任幼植別傳〉。）。

乾隆四年己未　年二歲。

初學言語（〈與史餘邨論文書〉云：「僕尚憶二、三歲時，初學言語，凡意所欲達而不能出諸口者，遍聽人言，恍惚而不可蹤跡，惟姊氏長吾六歲，提攜抱負，朝夕相親，又時時引逗吾言，以資歡笑。僕於當時，非姊之言不可學也。」按此文所言，雖屬孩提之常情，而於遍聽人言之中，已知擇取一人以爲之師，則後之學有所據，豈偶然哉。）。

乾隆五年庚申　年三歲。

生二、三年，從叔衡一公每提攜過鄰居沽酒朱叟，索飲，叟輒欣然飲以勺酒，啖以少許下物，不索錢，非有他故及大風雨率如此。先生每聞衡一公足音，則踴躍攀附，衡一公亦柔色撫之，於群弟子中尤爲鍾愛。

乾隆六年辛酉　年四歲。

乾隆七年壬戌　年五歲。

先生之父勵堂先生成進士（《笥河文集》〈祭史孺人文〉。），其舉順天解試，則在乾隆元年（〈梁公年譜書後〉。）。

乾隆八年癸亥　年六歲。

乾隆九年甲子　年七歲。

乾隆十年乙丑　年八歲。

乾隆十一年丙寅　年九歲。

乾隆十二年丁卯　年十歲。

先生之長姑母於是年卒（按〈杜燮均家傳〉謂：「燮均之父鑑湄娶於章先生之伯姑也。」燮均年十二遭母喪，而燮均長於先生二歲，知先生之姑母卒於是年也。）。

乾隆十三年戊辰　年十一歲。

乾隆十四年己巳　年十二歲。

乾隆十五年庚午　年十三歲。

乾隆十六年辛未　年十四歲。

先生幼多病，資質椎魯，日誦纔百餘言，輒復病作中止（〈與族孫汝楠論學書〉，按先生稟賦羸鈍，各文中累見之，而浙刻本《文史通義》，先生子華紱所跋亦謂：「其幼資甚魯，賦稟復瘠弱，少從童子塾，日誦百餘言，常形亟亟，大父顧而憐之，從不責以課程。」云云，可證印也。）。時讀書於杜氏之凌風書屋，與杜燮均同學於同縣王先生浩。浩性極嚴厲也（〈杜燮均家傳〉。傳中又云：「先生遇杜君，不假顏色，榎楚如風雨驟至。君頂骨隆起若禿髻，蓋嘗爲先生棓擊幾殆，久之創愈，而頂不復平。」云云，亦可知其嚴矣！）。是年受室，尙未卒業《四子書》。先生父勵堂先生家居聚徒授經，先生嬉戲左右，然聞經史大義，已私心獨喜，決疑質問，閒有出人擬議外者（〈與族孫汝楠論學書〉。）。勵堂先生謁選，得應城知縣（〈從嫂荀孺人行實〉），以家隨宦於楚（〈杜燮均家傳〉。）。家多病人，寧一李翁精於毉理，朝夕往來官廨（〈李清臣哀詞〉。按寧翁一者，清臣之父也。）。

乾隆十七年壬申　年十五歲。

乾隆十八年癸酉　年十六歲。

前後數年間，先生皆侍父於應城官舍。先生父延柯紹庚先生課讀，先生不肯爲應舉文，好爲詩賦（〈柯先生傳〉。）。官舍無他書得見，乃密從內君乞簪珥易紙筆，假手在官胥吏，日夜鈔錄《春秋內外傳》及衰周戰國子史（〈與族孫汝楠論學書〉。）。先生父見之，乃謂：「編年之書仍用編年刪節，無所取裁，曷用紀傳之體分其所合！」先生於是力究紀傳之史（〈家書〉三。），編爲紀、表、志、傳，凡百餘卷，三年未得成就。先生自謂其勞而無用也（〈與族孫汝楠書〉。）。當時賓客過從，多違心稱譽。春秋佳日聯騎出遊，歸必有所記述，同人相與贊嘆（〈柯先生傳〉。）。可以窺見其時之境況也。是年，勵堂先生分校鄉闈（〈跋陳西峰韭崧吟〉。）。

乾隆十九年甲戌　年十七歲。

先生旣不喜舉子業，柯先生嘗慨然誨之（以爲文無今古，期於通也，時文不通，詩、古文辭又安能通？」）。勵堂先生亦患其業之不精，屏諸書，令勿閱。而類纂書史，嗜好初入，輒傍徨不能舍；又耽詩賦，亦皆不成（先生文中，每自謂不能爲詩賦韻語，然觀於此，知其幼時固嘗鑽研之也。），中無主張，然已不甘爲俗學矣（以上綴輯〈與汝楠書〉、〈柯先生傳跋〉、〈甲乙賸稿〉諸篇語。）。秋冬間購得朱崇沐校刊之《韓文考異》，時柯先生既禁閱舉業外書，及得此集，匿藏篋笥，燈窗輒竊觀之（其後先生之父又丹黃評點，指示爲文義法，先生自幼習焉。手澤所存，故珍而襲之。均見〈朱校韓文考異書後〉。）。

乾隆二十年乙亥　年十八歲。

乾隆二十一年丙子　年十九歲。

是年，勵堂先生罷官，貧不能歸，僑居故治凡十許年（〈李清臣哀辭〉）。

勵堂先生自辛未知應城縣事，不枉民獄，不撼警兵。史孺人撙節日食，室械一匱，有餘金輒以投隙，曰：「吾以養福也。」至是罷官，負債累累，代者苛責。孺人發千金盡償之，曰：「惟妾知君，君以一氈來，以一氈去，吾藏此非故也。」竟不能歸。

乾隆二十二年丁丑　年二十歲。

是年，仍居應城（〈金煥若七十生朝屏風題辭〉。），購得吳注《庾開府集》，有「春水望桃花」句，吳注引〈月令〉章句云：「三月桃花水下」，先生父抹去其注，而評於下曰：「望桃花於春水之中，神思何其緜邈！」先生彼時便覺有會。回視吳注，意味索然矣。自後觀書，遂能別出意見，不爲訓故牢籠，雖時有鹵莽，而古人大體乃實有所窺（〈家書〉三*）。

*震謹按：「三」原作「二」，經董金裕教授訂正。

乾隆二十三年戊寅　年二十一歲。

先生二十歲前，性駸滯，讀書不過三、二百言，猶不能久識；爲文字，虛字多不當理。二十一、二歲，駸駸向長，縱覽群書，於經訓未見領會；而史部之書乍接於目，便似夙所攻習然者，其中利病得失，隨口能舉，舉而輒當，與二十歲前不類一人。是蓋先生之所獨異，非盡人皆然也（〈家書〉六。）。

乾隆二十四年己卯　年二十二歲。

戊寅、己卯間，勵堂先生主講天門（〈元則又昌二代合傳〉。）。

乾隆二十五年庚辰　年二十三歲。

先生自庚辰始賦遠遊（〈乙卯藏書目記〉。），道過河南汜水縣署，訪陳執無，款留旬日。至京師應順天鄉試，主從兄允功家（〈滕縣典史任君家傳〉。按任君名肇元，允功女夫也。）。時章氏宗人居京師者不下百家（〈章孺人家傳〉。按此文嘉業堂刊遺書本作乾隆二十五年壬午來京師，壬午乃庚辰之誤。），寄籍已四世矣（〈從嫂荀孺人行實〉謂：「自瑞生公寄籍京師至是四世。」）。族子汝楠△、族孫文欽頗好學，可與論文，歡然若兄弟，劇談養氣鍊識之旨，且有「學者只患讀書太易，作文太工，義理太貫」之說。

△董金裕教授校訂，係先生族孫，乃文欽之族姪。

乾隆二十六年辛巳　年二十四歲。

先生二十三、四時所筆記者，後雖亡失，然論諸史，於紀、表、志、傳之外，更當立圖。列傳於儒林、文苑之外，更當立史官傳。皆當日舊論，其後竟不能易，惟當時見書不多，立說鮮所徵引耳（〈家書〉六。）。庚辰、辛巳，勵堂先生主應城講席（〈李清臣哀辭〉。）。

乾隆二十七年壬午　年二十五歲。

是年，還會稽，館於杜燮均家（〈杜燮均家傳〉謂：「自壬午及壬辰、癸巳、甲午之間，屢歸故鄉，輒館於君。」惟其月日不可考耳。）。旋北上，道出山東，訪任肇元於滕縣，時肇元官其縣典史也（〈滕縣典史任君家傳〉。）。既至京師，因肄業國子內舍，自是往復監中幾二十年，歷同舍生以千百計。始入監，意氣落落不可一世，然試其藝於學官，輒置下等。祭酒以下與同舍生視先生若無物（〈庚辛之間亡友傳〉。），而一、二同志窺見先生舊業，輒太息恨相見之晚，朝夕商榷，指畫陳說。而學舍去南城十里以遠，時以尺牘往復相評衡云（〈題壬癸尺牘〉。）。

乾隆二十八年癸未　年二十六歲。

是年，肄業國子監（〈甄鴻齋先生家傳〉。）。既不得志於學官，試輒見黜，同舍生多輕先生。二月，德陽曾愼來居比舍，言而有洽。因愼而交於新寧甄松年，同舍諸生乃怪二人何取於先生也（〈庚辛之間亡友傳〉文中又謂：「與曾君初見時，言課蒙條例，後曾君用之，果有效。」）。夏季給假省親，還湖北（〈庚辛之間亡友傳〉。）。季秋朔日，錄壬癸間與同志論文筆札爲一帙，命曰《壬癸尺牘》（〈題壬癸尺牘〉文中又謂：「請假出都，索處蒲騷僑寓，文卒未能有成，而論文之稿爛然盈篋，非爲定論，以志近日所見及知交之情思也。」）。飢寒奔走，不能安處。秋杪又有秦州之役（〈題壬癸尺牘〉。）。西征道出華陰，祭漢楊震墓（〈祭漢太尉楊伯起文〉。按先生此次之赴陝西，未審何爲。集中又有：〈觀碑洞歌〉、〈弔楊太尉詩〉、〈望西岳歌〉等篇，想均此行時之所作也。）。戴震《原善》三卷作於是年，後先生讀之頗以爲善，是先生與戴學術雖不同，而未嘗不知其長也。

乾隆二十九年甲申　年二十七歲。

勵堂先生主講天門（〈李清臣哀辭〉。）。冬杪，天門胡明府議修縣志，先生作〈修志十議〉，以論筆削義例，大意與先生舊答甄秀才前後兩書相出入（〈與天門胡明府論修志十議自跋〉。按甄秀才即甄松年先生，肄業國子監時友也。）。時勵堂先生任修縣志也（嘉業堂刊《遺書補遺》劉承幹識語，謂其曾得《天門縣志》一種，乃勵堂大令所撰。按各本《文史通義》，皆載有〈修志十議書〉及《天門縣志》、〈藝文〉、〈五行〉、〈學校〉考序三篇，則《天門縣志》雖勵堂尸其名，而實出先生之手筆也。）。

乾隆三十年乙酉　年二十八歲。

是年，先生三至京師（〈滕縣典史任君家傳〉。按此云三至者：庚辰為一至；壬午為二至；此次是為三至。因知癸未西征之後，仍返湖北，未至京師。惟其東歸究在何時，不可考知矣。），先是自國子監假還湖北，至是復來，曾慎、甄松年俱返其家，居監舍中，復伥伥無儔侶（〈庚辛之間亡友傳〉。），用國子生應順天解試。高郵沈先生既堂與分校，薦其文於主司，不錄，既堂惋焉。館之於邸第，俾從事鉛槧，益力於學（〈沈母朱太恭人八十序〉。）；遂留京師，遊大興朱先生筠門（〈湖北按察使馮君家傳〉：「筠一見，許以千古，為言於衆。然談及時文，則云：『足下於此無緣，不能學，然亦不足學也！』先生曰：『家貧親老，不能不望科舉。』筠曰：『科舉何難？科舉何嘗必要時文！由子之道，任子之天，科舉未嘗不必得，即終不得，亦非不學時文之咎也。』先生深信其說。」）。是時，沈先生既薦其文，朱先生始言於衆，京師漸有知其名者（〈跋甲乙賸稿〉。）。先生之史學，於二十三、四時識已卓絕，然至是年始見《史通》，則非得力《史通》可知（〈家書〉六。）。自稱彼時立志甚奇，而學識未充，文筆未能如意之所向（〈跋甲乙賸稿〉。）。

乾隆三十一年丙戌 年二十九歲。

是年，先生下榻朱先生邸舍（按朱竹君先生家在日南坊李鐵枴斜街北，見〈朱先生墓誌銘〉。）。時朱先生未除喪，屏絕人事，時時相過者，若程舍人晉芳、吳舍人烺、馮大理廷丞、蔣編修漁邨，爲燕談之會，高齋歡聚，晚落形骸，若不知有人世（〈蔣漁邨墓誌銘書後〉。）。先生久著籍太學，貧不知名。歐陽瑾先生官司成攝國子祭酒（按〈爲歐陽先生撰祭涂母江太孺人文〉謂：「昔在丙戌，余官司成。」云云。而〈歐陽先生奉使告祭碑書後〉則謂：「丙申攝國子祭酒。」，申應作戌，此是嘉業堂刊本之誤。蓋丙申年歐陽先生已官祭告使矣。），初蒞臨月試，首擢先生第一，六館之士一時驚詫而嘻。歐陽先生獨謂：「是子當求之古，非一世士也。」益厚遇之，名稍稍聞（〈歐陽先生奉使告祭碑後敘〉。）。先生嘗以前史二十一家義例不純，欲徧察其中得失利病，約爲科條，作書數篇，討論筆削大旨，蓋即《文史通義》所發軔也。先生家人仍居楚中，特寒窘殊甚。先生父勵堂主修之《天門志》，是時已刊成，惟中爲俗人所改，所存纔十之六、七云（〈與族孫汝楠論學書〉題下注：「丙戌」，故知所述是此年事，特志「既刊成」，則修成之期必在以前，文中未述及，遂不可考。劉承幹氏購得《天門志》，當有年月可悉，惜未刊刻。然先生既謂「其書爲俗人所改」，則已非章氏父子之眞面目，固可不刊也。〈與汝楠書〉中又謂：「去秋又舉一子」，則先生此時已有二子矣。又，是書謂：「戴東原論今之學者不曾識字」，先生重媿其言，是先生已知有東原矣。）。

寫定《緒言》三卷。

乾隆三十二年丁亥　年三十歲。

是年，先生旅困不能自存，依朱先生居，侘傺無聊甚，然由是得見當世名流，及一時聞人之所習業（〈任幼植別傳〉，按姬傳《惜抱軒文集》〈朱竹君先生傳〉謂：「朱先生好交遊，稱述人善，後進之士多因以得名。室中自晨至夕，未嘗無客，與客飲酒談笑窮日夜，故實齋得以見當世名流。」若前所述程晉芳、吳烺諸人也。其散見他文者甚夥，不勝縷指，即與實齋之同學於朱竹君門下者，亦多可由文中見之，茲亦不復舉，故其學問胸襟得以恢張也。遺書中有〈爲長興紳士撰公祭湖驛鹽道劉君文〉及〈祭族子婦李孺人文〉二篇題下皆注「丁亥」二字，皆此年所作。）。

乾隆三十三年戊子　年三十一歲。

先生寓居朱笥河擷英書屋又已一年。去秋太學志局初開，當事推先生執筆，先生亦以久困，利其餐錢，枉道從事，非所好也。又朱笥河被詔修

《順天志》，先生亦參其事。及至是年二月，徙寓從兄允功傚齋，所居清謐，可謝賓客（〈與家守一書〉題下注：「戊子」，知是此年事。）。先是乾隆二年丁巳，先生父勵堂下禮部弟，即館允功家，至是先生又來寄居。從嫂荀孺人以其屬近，待之有加，三十年如一日（〈從嫂荀孺人行實〉。按孺人即於是年卒，有二女，無子，以先生第三子華綬[*1]爲嗣。均見〈行實〉中。）。是秋應順天解試，朱棻[*2]元先生與同考於鄰座，見先生對策言監志得失，驚怪不已，謂：「六館師儒，安得遽失此人？」（〈朱府君墓誌銘〉。）。中副榜，受知於江寧秦慎之先生（〈通說贈邱君文〉謂：「戊子，邱君舉順天解試與君同受知於秦慎之先生。」按是年先生並未中式，知是副榜。）。是冬先生父卒於應城。先生聞訃，猶暫寄允功家（〈章氏二女小傳〉。）。

*1 震謹按：「綬」原作「紱」，經董金裕教授訂正。

*2 震謹按：「棻」原作「棨」，經董金裕教授訂正

乾隆三十四年己丑　年三十二歲。

是年，先生既居憂，仍留京師，馮廷丞分宅以居之（按嘉業堂刊《遺書補遺》中有〈上朱先生書〉，在四月二十六日署名上有「制」字，又述舉家北遷之事，知是此年事。然已謂「均弼先生*房金又見告」云云，知先生家人未到，已與馮君共居矣。）；舉家扶柩，附湖北漕艘北上（〈乙卯藏書目記〉。），春水大漲，漕艘在運河中全無耽擱。六月上浣楚船抵通。匝月之後（〈上朱先生書〉。），先生奉母至京師，馮君分宅安其老幼，馮君婦周淑人見先生母，相得甚歡，母亦忘其老而家之難也（〈馮室周淑人家傳〉。）。先是勵堂先生少孤，君信先生遺書散佚，家貧不能購，則借讀於人，隨時手筆記錄，孜孜不倦；晚年彙所劄記，殆盈百帙，嘗得鄭氏《江表志》及五季十國時雜史數種，欲鈔存

之，嫌其文體破碎，隨筆删潤，文省而意更周，仍其原名，加題爲《章氏別本》。每還人所借，有劄未竟者，悵悵如有所失，蓋好且勤如是。然聚書無多，隨身三數千卷。是年，漕艘北上，書篋爲漏水所浸，此三數千卷失三之一。然先生於戊子以前未有家累，館穀所入悉以購書。性尤嗜史，累朝正史二十三部，非數十金不能致，則層累求之，凡三年而始全；大小新舊參差不一，殆如百衲琴（〈乙卯藏書目記〉。）。是時舉家十七、八口，米珠薪桂，嘗上書朱先生，乞薦官書三、四門；蓋是春先生爲秦芝軒校編《樂典》，欲得類此者兼之也（〈上朱先生書〉。）。且先生此時，方以國子生與修《監志》，諸學官多與牴牾，獨司業朱先生棻元主之，而侍先生朝亦除國子監丞，與先生言尤有深契（〈庚辛之間亡友傳〉。）。是年，任幼植登進士第，先生始得相見；然以謀食，未得時相過也（〈任幼植別傳〉。）。蕭山汪輝祖赴京會試，始交先生（汪輝祖《病榻夢痕錄》。），二人自是交三十二年不衰（《夢痕餘錄》。）。先生既居馮宅，陳伯思與馮氏世姻婭，時過馮劇飲，先生未嘗不與，每飲酣縱談，不復知有人世也（〈陳伯思別傳〉。）。

＊震謹按：均弼先房金，知於「先」及「房」間漏一「生」字，故補。

乾隆三十五年庚寅　年三十三歲。

是年，僑家柳樹井南馮按察舊居（〈贈樂槐亭敘〉。）。按馮按察即馮廷丞，去年分宅以安先生家人，是歲赴浙江任，而先生則仍居是宅也。

），與裴君立齋（按裴君名振，天津人。）衡宇相望，暇日數相過從（〈贈樂槐亭敘〉。）。

乾隆三十六年辛卯　年三十四歲。

是年，先生有江南之役，道山東，弔從女於滕縣西城居宅，其壻任君以乙酉春死矣。家人即留居舊治，故先生過而弔之（〈滕縣典史任君家傳〉）。先生之不見江南秋已二十年矣（〈候國子司業朱春浦先生書〉。按先生出遊在十四歲，隨父往湖北，至是正二十年也。）。是年之南遊者，蓋朱筠河爲安徽學政，故先生於是冬客其太平使院中也。餘姚邵晉涵，是年登進士第，亦在幕中，先生始與之相識（〈周書昌別傳〉。）。時先生方學古文辭於朱先生，苦無藉手；邵君輒據前朝遺事，俾朱先生與先生各試爲傳記，以質文心（〈邵與桐別傳〉。按《乙卯丙辰札記》謂：「邵君口授以景烈婦事略」，又謂：「邵君出《宋介三文鈔》，有明季遭亂婦女之死節者，俾先生與朱先生據而改之。」蓋事多可采，而文不稱也。此皆是年冬事。今集中〈景烈婦傳〉尚存，而所改宋文，則自嫌未善，棄其稿矣。）。先生與邵君言次，盛推其從祖念魯先生《思復堂文集》，謂五百年來罕見（〈邵與桐別傳〉貽選跋。）。時太平知府沈既堂，乃先生之薦師也，博通好古，延攬才俊，一時知名之士，若陽湖洪亮吉、武進黃景仁、莊炘等，時相過從。興化顧文子，爲旣堂子在廷授經；文子日識五千言，而先生質最鈍，聞之不能信云（〈庚辛之間亡友傳〉。）。先生出都以來，頗事箸述，斟酌藝林，作爲《文史通義》，書雖未成，大旨已可見，蓋將有所發明，然辨論之間，頗乖時人好惡，不欲多爲人知。嘗以內篇三首呈正於錢辛楣先生（〈候國子司業朱春浦書〉、〈上錢辛楣宮詹書〉，知此書作於是年者。以〈朱書〉中謂：「二十年不見江南秋」，至此正二十年。又謂：「大旨已見辛楣先生候牘。」云云也。）。錢辛楣於先生所論，似不謂然（嘉業堂刊《遺書補遺》〈又答朱少白書〉：「此事與通人言，每多不以爲然。」、「辛楣先生尚不謂然。」則錢氏之不能賞識先生有明徵矣。）。

乾隆三十七年壬辰　年三十五歲。

是年，仍從朱笥河，較文安徽學使幕中（〈周篔谷五十初度屏風題辭〉。）。暫歸會稽（〈章孺人家傳〉。），至墟里省祠墓，且訪先人舊所交遊，多零落矣（〈允則公又昌公二代合傳〉。）。是年夏訪馮廷丞於寧波道署（〈湖北按察使馮君家傳〉。），馮君方官於是也，乃遇馮瑤罌及仲𠥄、秋山兄弟，皆在署中，相得甚歡（〈馮瑤罌別傳〉。按馮仲𠥄嘗與先生同學於朱氏。）。

乾隆三十八年癸巳　年三十六歲。

是年，春正初旬，訪邵與桐於姚江里第，盤桓數日，論《思復堂集》高於全祖望文。與桐因屬先生校正其書，因循未成（〈邵與桐別傳〉貽選跋。）。是春又返道墟，訪兄懷忠，兄老矣，述先世事，油然使人生孝弟之心（〈樂野先生家傳〉。）。二月客寧紹道馮君館舍（〈書孝豐知縣李夢登事〉題註：「癸巳二月」），署中一時賓客以十數，與蔣五式相知最深（〈蔣南河先生家傳〉。）。夏與戴東原遇於馮君署中（〈記與戴東原論修志〉），時東原主講金華書院（段玉裁編《戴東原年譜》。），爲馮君所敬禮（譚獻《復堂文存》〈章實齋傳〉。），與先生言史事，多不合（〈記與戴東原論修志〉。），先生謂東原經學淹貫精通，而史學非其所長。是年，先生又在和州編《摩州志》，得交山陰金子友蓮，論文有契於心（〈金地山印譜序〉。）。〈和州志例〉先成，與東原遇時已論及之矣（〈記與戴東原論修志〉。）。先生於癸巳、甲午間，往返江湖，屢止寧波官舍，輒與瑤翯、秋山論心，而仲囦亦時來省兄，皆長安舊友，又作海天之聚焉（〈馮瑤翯別傳〉。）。

乾隆三十九年甲午　年三十七歲。

《和州志》修成，凡四十二篇，別輯州中著述有裨文獻者，爲《文徵》八卷。上志稿於安徽學使秦潮，潮以州轄含山縣，志但詳州而略於縣；

且多意見不合，往返駁詰，志事中廢。季夏因刪存志稿爲二十篇，略示推行《文史通義》之一端，名之曰《志隅》（嘉業堂刊〈和州志隅自序〉年月如此，當即修成之時。）。乃與金子友蓮同返浙江，應是年鄉試。泛姑溪，渡高淳鉅浸，曉浮鶩脰之湖，乘月夜過虎邱，沿嘉禾、吳興古郡以歸，游涉數百里間（〈金地山印譜序〉。）；復反會稽（〈章孺人家傳〉。），回墟省墓（〈允文公像記〉。），冬依馮君寧波道署（〈湖北按察使馮君家傳〉。按先生所撰《和州志》原本不傳，今浙刊《文史通義》外篇一，有〈和州志序例〉等凡十六篇；《靈鶼閣叢書》有〈志隅自敘〉一篇。蓋先生謂：《通義》示人，猶疑信參之，空言不及徵實也；故就《和州志》刪爲二十篇以示推行之一端。今此二十篇列入嘉業堂刻《遺書》本中。）。

乾隆四十年乙未　年三十八歲。

是年春，馮君遷臺灣，賓客雲散。先生訪蔣君五式於山莊，流連數晨夕（〈蔣南河家傳〉）。是年，先生初與於宗人春社（〈家效川八十序〉）。既倦遊江、浙，復北上，道過涿，止從女夫趙氏家；旋返京師（〈庚辛之間亡友傳〉），遷居金池魚北（〈贈樂槐亭敘〉嘉業堂刊本如此。按「池魚」二字疑倒。）。先是辛卯、壬辰之間，凡再徙，家藏書頗有散失；勵堂先生所劄錄，多襲巾箱，偷兒不知爲書，負之以去；幸著述草稿別置一箱，得以僅存（〈乙卯藏書目記〉）。新居距裴立齋家纔百步，裴君舉先生文示樂槐亭，槐亭撫掌稱善，介裴君邀至其家，冬夜圍爐將酒論文（〈贈樂槐亭敘〉。按〈庚辛之間亡友傳〉謂：「僦居去柳井不二百步，因得時相過從。」亦謂此事也。）。冬初，往涿州視從兄垣*業之女；仲冬又往，至則已死六日矣！仲冬之月九日丁酉，先生宗人瑞岐卒於京師，先生與章氏之在京者祭之（〈宗人公祭瑞岐先生文〉。）。先是癸巳二月，四庫館開（《四庫全書總目題要》卷一〈聖諭〉。），邵晉涵、周書昌均以宿望被薦，特徵修書。先生因晉涵往見書昌於藉書之園。藉書園者，書昌之志也。書昌積書近十萬，不欲自私，故以「藉書」名園，嘗請先生爲藉書目錄之序（〈周書昌別傳〉、〈藉書園書目序〉。）。侍先生朝亦徵爲四庫總校，僦第開館，延名流司讐勘，多聚書。先生因時時過君藉群書；且又多識其館客，而元和胡士震、歸安沈棠臣，相得尤深。每冬夜過從，輒留止宿，暫罷校課，賓主爭出酒餚款先生，劇談淋漓恣肆，極一時之興會。然先生是年之復反京師，親老家貧，挾策謀生，未有長計也（〈庚辛之間亡友傳〉。又任幼植亦徵爲纂修；先生友也。任君方病，先生訪之臥內，見〈任幼植別傳〉。）。先生自謂：「是時，學識方長，而文筆亦縱橫能達，然不免有意矜張也（〈跋甲乙賸稿〉）。

＊震謹按：「垣」原作「桓」，經董金裕教授訂正。

乾隆四十一年丙申　年三十九歲。

是年，先生困京都（〈庚辛之間亡友傳〉）索米又不易（〈周筤谷別傳〉。），將近遊畿輔。大興朱笥河屬先生於門下士山陰張方理。時張君家清苑，悉畿輔風聲，爲先生約車，詢所往，先生曰：『蠡縣梁君、曲陽周君。』張曰：『是皆風塵中文雅士也。』梁君夢善，字兼士，錢塘人；周君震榮，字青在，一字筤谷，嘉善人。梁君，先生故交（〈周筤谷別傳〉）；司業朱棻元爲先生書屬周君（〈庚辛之間亡友傳〉）。梁君乃資其行李，訪周君於曲陽。時周君以清苑丞攝曲陽縣事，先生紆道以文謁之。周君方置酒宴客，無暇省；徐鄉坡取先生文，一再閱，矜言於周君，周君始有意於先生（〈庚辛之間亡友傳〉）。先生既見周君，亦聳然異之（〈編修周府君墓誌銘〉）。其後先生屢館畿輔。至於攜家自隨，中歷悲歡離合，且有死喪疾厄患難之遭，周君每休戚周旋於其間者一十二年（〈周筤谷別傳〉）。是年，周君移治永淸（〈周筤谷五十初度屏風題詞〉）。按〈周府君墓誌銘〉謂：「四十一年見於曲陽，明年移治永淸。」是移治乃丁酉事矣。然題詞則謂：「周筤谷於乾隆四十一年丙申爲永淸知縣」。年代確著，似無可疑，且墓銘乃後日追敘，難免譌舛。題詞作於戊戌，年月甚近，當無所誤，故依題詞也。），先生亦援例授國子典籍（〈庚辛之間亡友傳〉。按此事未審是何月日，姑坿一年之末。）。

乾隆四十二年丁酉　年四十歲。

周君旣爲先生位置，主講定州之定武書院（〈庚辛之間亡友傳〉、〈書孫氏母子貞孝〉。）。定州地曠而瘠，封界南北之衝，差役擾擾；學校無經史，搢紳家至不能備《六經》、《三傳》，後生見聞無由自廣。時太守爲李君，先生之主講也，不尙時藝，而教以詩書，使之日浸潤於古；又於院中招致幼童，立分經識字條例，與諸生處甚相得（〈與定武書院諸及門書〉。）。時永清修輯縣志，屬先生撰次其事（〈周筤谷五十初度屏風題詞〉。），先生受聘，季夏溽暑中諸生餞送，惓惓之意先生亦不能恝然也（〈與定武書院諸及門書〉。按此書作於十月二十八日。院中諸生可考見者有：何超凡、王南琛、王飛九、高彥、王秉鑑、何景瑞及其弟清桂、翼龍、沈殿英、鄭兆珂、尚風古及姪廷琳、劉輝山、鹿廷鍔、王集義、成光勳、郝文衡、王亞祼、沈清溪△、張調元、田香圃、王允恭△、尚盛功、馬冀北、錢士杰、牛淨紛、朱敬止、孫岳秀、尹衡、南湘錦、張逢聖等數十人。）。先生以修志居永清外館，其館逼近官署；周君好談文，時時迎先生署中，縱談文事，輒令諸子侍側（〈庚辛之間亡友傳〉。），文墨之士聞風過訪，往復討論，縣衙乃如名山講社（〈周篔谷別傳〉。）。與定州高坐談經，意興不甚懸殊（〈與定武書院諸及門書〉。）。秋初入都解試（〈庚辛之間亡友傳〉。），梁文定公主試。公惡經生墨守經義，束書不觀，發策博問，群書條貫，雜以史事，以覘宿抱（〈庚辛之間亡友傳〉。）。是科試題爲「回之爲人也」句（《丙辰扎記》。），先生既試，出所試文，科舉之士皆大笑，以爲怪。陳世忠見之，特嗟賞，謂：「久與子交，不知子乃能是。」榜發，先生中式，謁國治，國治謂曰：「余闈中得子文，深契於心，啓彌封，知出吾鄉，訝素不知子名，詢鄉官同考者，亦曰不知。聞子久客京師，乃能韜晦如是。」是科同年之見先生集中者有：朱慶頤（〈國子監司業朱府君墓碑〉。）、郎氏錦騋、錦驥兄弟（〈直隸按察使*郎公家傳〉。）、張羲年（〈助教張公墓誌銘〉、〈庚辛之間亡友傳〉。）、杜書山（〈爲梁少傅撰杜書山時文序〉。）、王定柱

（〈與定武書院諸及門書〉。）。先是馮廷丞稱羅臺山文於先生，先生於是知臺山。已而邵晉涵艱歸，以先生文示臺山，臺山亦恨不得見先生，相慕久之。至是年冬，臺山來京師，先生又修志於永清，不以時歸；臺山訪先生門，至再三，且登堂拜母，先生乃亟訪之於寓齋，冬寒夜長，挑燈擁爐，談竟夕不倦也（〈庚辛之間亡友傳〉。）。是年三月丁卯，先生有〈公祭宗人靜海處士文〉（見本文。）。長子貽選從朱筠河假影鈔本《劉復愚文集》，手錄之（〈唐劉蛻集書後〉。）。是年，戴東原卒。先生有〈朱陸篇〉，意在譏東原而未出東原名，殆是東原未死時作；〈書後〉則明言之矣，則必在東原死後追記也。

按〈保定公會丁酉同年齒錄〉云：「丁酉天下鄉試如制」，而是年「適當選拔生員充貢之期」，會「四庫館中校錄需人，特詔拔貢生有願與校錄者聽」。於是「同年友生聚於都下者盛於曩日」，其先後「臚一甲者五人」，其中「得大魁者二人」，而「登進士第選庶吉士者不可勝計」。故「都門集會以丁酉同年稱最盛焉」。

△震謹按：經董金裕教授校補。

*震謹按：原稿爲「直隸按察傳郎公家傳」，據《章氏遺書》修訂。

乾隆四十三年戊戌　年四十一歲。

是年春初，馮廷丞以江西按察使獲譴，逮刑部，旋蒙恩，以府同知聽用江南。先生方館永清，聞馮君之逮，趨京省之。羅臺山亦期集禮部，故與馮君友善，亦數過馮邸舍（〈馮瑤罌別傳〉。）。是科，典禮部試者爲韓城王杰（〈先正事略〉。）。先生第進士（〈司業朱府君墓碑〉。）。歸部待銓（〈庚辛之間亡友傳〉。）。先生登第在四十外，中間七應科場，三中兼副榜，一薦、一備、二落（〈與汪龍莊簡〉。）

。旋丁內憂，時館永清，撰輯縣志（〈庚辛之間亡友傳〉。）。季夏上旬六日，爲朱笥河先生五十初度之辰，門弟子一時居京師者，相與奉觴上壽，俾先生爲之辭（〈朱先生五十初度屏風*題詞〉。按先生母史孺人之卒不知在何時，亦觀其謂「旋丁內憂」，則當在三、四月間，故列於題詞前。）。先生進士同年有：汪輝祖（〈汪泰巖家傳〉。）、金光悌（〈儒學教授金府君墓誌銘〉。）、張雲湄維淇、周晴坡棨（〈庚辛之間亡友傳〉周筤谷跋。）、凌書巢世御（〈凌書巢哀詞〉。）。

* 震謹按：原稿疑遺一「風」字。

乾隆四十四年己亥　年四十二歲。

是年，志成（〈庚辛之間亡友傳〉。按〈又與永清論文書〉，《永清志》之成後於《和州志》六年，應在是年。然〈亡友傳〉固明著也。）。先是先生以舊志多所挂漏，官紳采訪非略則擾，因具車從，槖筆載酒，周歷縣境，侵遊以盡委備。前憲司檄徵金石文字，上續通志*館永清牒報，荒僻無徵久矣；至是得唐、宋、遼、金刻畫一十餘通，咸著於錄。又以婦人無閫外事，而貞節孝烈錄於方志，文多雷同，觀者無所興感。則訪其現存者，安車迎至館中，俾自述生平；其不願至者，或走訪其家，以禮相見，引端究緒，其間悲歡情樂，殆於人心如面之不同也。前後接見五十餘人，皆詳爲之傳。其文隨人變易，不復爲方志公家之言（〈周筤谷別傳〉。）。後先生修《亳州志》時，又有新得，恨《永清志》頗蕪雜，因刪訂二十六篇爲《永清新志》十篇，自覺峻潔焉（〈又與永清論文書〉。按嘉業堂刊《遺書外編》有《永清志》凡分紀二篇，表、圖各三篇，書六篇，略一篇，傳十篇，共二十五篇。此謂二十六篇者，蓋並文徵一種爲一篇計之也。嘉業堂所刊仍是原本，至刪訂之《新志》則已佚矣。浙本《通義》有序例十五篇。）。當志既成，先生遂館會稽相公梁文定家者二年（〈庚辛之間亡友傳〉。）。孟秋，周君于役順義，先生自京往視之；周君置酒相見，出《新志》示坐客。張維祺、周晴坡色然爭延先生，先生已就梁約，未之諾也（〈庚辛之間亡友傳〉周筤谷跋謂此事在辛丑孟秋。然辛丑時先生已辭梁他去，不得云就梁約，且志成已二年，亦不得云新成也。當是此年孟秋也。）。是年，周君購宅於嘉善舊里，取《戴記》禮以樂福之義，以「福禮」名其堂，先生爲文記之（〈福禮堂記〉。）。又著《校讎通義》四卷（〈跋酉冬戌春志餘草〉。按今各家刻本皆三卷，因先生於辛丑遊古大梁，失去原稿，知好家前鈔存三卷，互有異同，第四卷竟不可得。先生後在歸德書院又自校正一番，今各家所刻，當即校正本矣。）。是年，在永清客館時，遘危疾，家人不知死生耗（〈周筤谷別傳〉。）。

* 震謹按：原稿漏一「志」字，據吳興劉承幹校訂本《章氏遺書》補。

乾隆四十五年庚子　年四十三歲。

當庚子歲，困極思遊。是冬，乃辭文定館，方窘歲事，第三女又病痘殤亡，卒歲悽涼（〈庚辛之間亡友傳〉。）。先生自謂：「庚子以來，前後十年，大小八喪，皆當飢寒奔走，不得盡其哀。每至顚頓狼狽，章惶失志，周君必爲先生設籌，至無可如何，未嘗不悽涼相弔也（〈周筤谷別傳〉。）。坎壈甚矣！而師友、知交彫落多故，亦莫甚於庚辛之間云（〈庚辛之間亡友傳〉。）。

乾隆四十六年辛丑　年四十四歲。

是年，既辭文定館（〈庚辛之間亡友傳〉。），遊河南，不得志（〈張介邨先生家傳〉。按遊河南必有所投，茲不得詳，惟〈與邵與桐書〉云：「以海度之素交，而刻薄無情，迥出意計之外」。又〈亡友傳〉云：「遊古大梁，比之匪人。」似皆與不得志之語有關。惟海度指何人，亦不可攷。）。中夏，返轍都門，便道訪同學邱向閣於南樂縣，時邱君爲南樂知縣也。留連數晨夕，先生爲作〈通說題南樂官舍〉（〈通說題南樂官舍〉。按先生是年由開封返京，過肥鄉而遇盜。南樂正在開封、肥鄉之間，是作〈通說〉時必在遇盜前也。〈通說〉略曰：『邱君因憶朱先生言：「學者讀書求通，當如都市馗路，四通八達，無施不可。」因篆「通達」二字榜於軒右。』、『然吾以爲先生言通，蓋擴乎其量，而未循乎其本；苟馳騖乎浩博難罄之數，而無所得，適足爲患。』、『古人學守專經，言無旁出，推而及於當世，卓然見其本末，徙泛騖以求通，則終無所得矣。惟即性之所近而用之，能勉者因以推微而知著，會偏而得全。斯古人所以求通之方也。』云云。）。北行，中途遇盜，狼狽衣短葛（按「葛」疑當作「褐」，各本同。），走投同年生張維祺於肥鄉縣衙。維祺方遠出，其父介邨先生款接甚殷，遠客患難之中，安如室處（〈張介邨先生家傳〉。）。此行盡失篋攜文墨，四十四歲以前撰著文字蕩然無存，後從故舊家存錄別本借鈔，十得其四、五耳！自是每有所撰，必留副草，以備遺忘。而故人愛先生文者，亦多請鈔存副墨（〈跋酉冬戌春志餘草〉。按跋中又謂：周青在、史餘邨鈔藏尤多，朱少白稍次。後過維揚沈鹺使既堂，亦令人鈔存四卷，諸家有無互較，十得八、九矣。）。是年既落魄，依肥鄉官舍（〈張介邨先生家傳〉。），主講清漳書院（〈廣平栗君墓誌銘〉。），嘗策問《四書》大義六道，又嘗以志學發問（按策問題均載集中。），諸生置對，通場無一人。先生乃稍變通，先期發問，諸生鈔錄回家，十日以後錄入下次課卷，則窗下儘有餘閒可以繙閱經書，從容置對，亦先生勸學之一法也（〈清漳書院條約二則〉。）。肥鄉、永年二縣議修志事，擾擾數月，竟無定局；然肥鄉主人於先生厚，故一時未去，忽忽半載。嘗謀天津及蓮池之席，皆成畫餅。又致書邵與桐，託薦於畢中丞（〈與邵與桐書〉。）；又上書梁相公，乞爲振援。時一家十五、六口浮寓都門，嗷嗷待哺，數年遭困以來，未有若此之甚者（〈上梁相公書〉。）。先生則羈栖肥鄉，羝羊觸藩，進退爲難（〈與邵與桐書〉。）。其年，維祺移劇大名（〈張介邨先生家傳〉。）。是冬，先生亦去肥鄉（〈廣平栗君墓誌銘〉。）。至歲杪，自大名辭歸（〈張介邨先生家傳〉。）。是年夏六月二十六日戊戌，大興朱先生卒（〈朱先生墓誌銘〉。）。先生子以西監事例停科十年（〈與邵與桐書〉）。按〈亡友傳〉周筤谷跋謂：「辛丑孟秋于役順義，得與張雲湄維祺，予季晴坡棨相比，實齋自京來視，因置酒相見，時《永清志》新成，出示坐客。」云云。惟先生是年秋冬之際，實在肥鄉、大名，歲杪乃返京，無由於孟秋已在京師，且北赴順義也，而張維祺似亦無北上之機。「辛丑」二字，蓋是誤記。跋又謂：「兩君遂各就所治，采綴成書。雲湄之書，實齋已爲訂定。」按先生嘗爲張君撰序，謂：「志於五十年成。」而其記《大名縣志》執事、俠女則謂：「志稿未訖而罷官」，因以其稿商於先生。張君罷官在五十年，時先生久去大名矣。計先生之在大名，前後不過二、三月耳。時大名崔述與其弟邁，並有文名，爲士林推重，先生嘗於〈廣平栗君墓誌銘〉中稱之，是先生未嘗不知有崔氏兄弟也；但未獲相與深論學術耳。）

先生長子貽選，從邵晉涵學於北京。

乾隆四十七年壬寅　年四十五歲。

是年春，天子展謁東陵，旋蹕，休憩盤山靜宜山莊。盤山在薊州西北，名勝甲於畿東，畿縣例供除道。先生方自畿南失意歸，客永清。永清知縣周君亦與斯役，邀先生偕行，環山治道，州縣芟舍相望；時桃李方華，鎭山雪初霽，四山照耀。周君置酒，遍召同官，藉莎歡飲，同官又互相酬答，尋山名勝殆遍，先生亦自忘家無宿舂糧也。先生因識撫寧知縣凌世御書巢（以上參合〈周筤谷別傳〉及〈凌書巢哀辭〉。）。朱筠河既卒，是春三月，其子錫卣等卜葬，俾先生爲銘誌（〈朱先生墓誌銘〉。）。先是先生嘗爲〈鄭學齋記書後〉（略曰：『戴君說經，不盡主鄭氏說；而其〈與任幼植書〉，則戒以輕畔康成，人皆疑之，不知其皆是也。大約學者於古，未能深究其所以然，必當墨守師說，及其學之既成，會通於群藉與諸儒治經之言，而有以灼見，前人之說之不可以據，於是始得古人大體，而進窺天地之純。故學於鄭而不敢盡由於鄭，乃謹嚴之至，好古之至，非蔑古也。乃世之學者，喜言墨守，則害於道矣。「寧道周、孔誤，勿言馬、鄭非。」弊必至乎此。愚者循名，記數不敢失，猶可諒也；黠者不復需學，但襲成說，安坐而得十之七、八，不如自求心得者之什一、二矣！而猶自矜其七、八，故曰「德之賊也」，於是有志之士，不求於古，而惟心所安，以謂學即在是；則六經束高閣，而五尺童子皆可抵掌而高談學術矣。未能深有得於古人，而遽疑鄭學，此戴君之所以深懼也。』按先生於清漳書院，以《四書》發問，雖頗持懷疑之見以詔學者，晚近之士多稱道之，引爲同調；然觀此篇，知先生固非輕致疑也。），極言墨守之弊，至是作誌，謂朱先生於名物、象數、訓詁、文字，並主漢人之學；或謂先生於此有微辭焉。此則拘文牽義，難語通方。先生此誌，於朱笥河學問、文章頗得其要，不溢美、不歉量，固無隱無犯之大義（〈朱先生墓誌書後〉，按先生以謂：「朱笥河爲文章家言，經傳、訓詁取足疏證立言宗旨，與專門治經師授淵源，一字不容假借者義不同科。」又謂：「笥河善於因。」云）。其後十年，又爲〈朱先生別傳〉。（〈朱先生別傳〉。按〈又答朱少白書〉謂：「聞墓誌頗爲外人譏彈。則〈家傳〉奉呈，更願足下深藏勿出也。」、「淮、揚間人有從先生遊者，其才甚美，學問雖未成家，記誦則甚侈富，僕向以爲畏；近見之，湖、湘間一妄人耳！有才無識，不善用其所長，激以名心，向欲使撰先生事狀，今似可不必矣！」此妄人，殆指汪中。〉〈亡友傳〉、〈癸卯通義書後〉。）是年，主講永平敬勝書院（〈乙卯藏書目記〉。），自是挈家南北遊，不復居京師矣（〈司業朱府君墓碑〉。）！適有季妹之喪，家人倉卒收書，絪載未牢，中途頗損毀（《乙卯藏書目記》。）。永平山府近邊，學者鮮可與語，僻處輒不自聊；而一時官茲土者，若經歷曹縣袁汝琈、遷安知縣上海喬鍾吳、昌黎知縣洛陽劉嵩嶽、灤州知州安岳蔡薰、撫寧知縣錢塘凌世御，皆以文章、性命、詩酒、氣誼與夫山川登眺，數相過從；而凌君、喬君、袁君與先生尤爲契深（〈凌書巢哀辭〉。）。喬君三子俱當舞勺之年，般然有向學之意，是年請學於先生，先生爲作〈字說〉（〈喬氏三子字說〉。）。

校定《葉鶴塗文集》，爲作敘。

乾隆四十八年癸卯　年四十六歲。

是年春，先生僑寓京師，卧病，邵編修晉涵載先生於家，延醫治之；先生沈困中，輒喜與邵君論學，每至夜分；邵君恐先生憊，先生氣益壯。會稽陳舉人光第，爲邵君諸子授經，朝夕相見，論文及學，莫逆於心（以上參合：〈邵與桐別傳〉、〈會稽陳君墓碣並銘〉。）。是年，仍主永平講席（〈庚辛之間亡友傳〉。）。五月下浣，有〈與喬遷安明府論初學課業三簡〉，蓋喬之子姪多從先生受業，先生因敎以《說文編韻》，爲分經認字之基；史論須讀《四史》論贊，晉、宋以後姑緩待之。史家論贊本於《詩敎》，與《綱目》發明書法、《通鑑》輯評之類有異（〈與喬遷安明府論初學課業三簡〉。按簡又謂：「有臨榆張童子開泰，年甫十六，能讀《五經》、《左傳》，隨其伯兄鈞泰來此肄業，頗云可教，然恐父兄俗解已久，行且試觀出手，因材勸誘也。」）。時周篔谷有文先之輯，先生不謂然，與書論之，謂：「取詩疏爲制舉之權輿，史贊爲古學之底蘊；課童子文字，以無題目蹊徑者爲易。」（〈答周篔谷論課蒙二書〉。）。書院生徒少，又游惰不知學業（〈癸卯通義草書後〉。），難與深言（〈再答周篔谷論課蒙書〉。），閒出論題，諸生多爲八股款式，去其破承而加以粗率，先生爲之悶絕（〈與喬遷安明府論初學課業〉。）。七月，生徒散去，應順天鄉試。初三日，置冊結草補苴《文史通義》。訖九月初二日，閱兩閱月，而空冊已滿，得書七篇，分八十九章，三篇不分章者不與，總得書十篇，計字二萬有餘，（今篇名可考者，有〈詩教〉上、下；〈言公〉上、中、下，共五篇。又今本《通義》中，〈俗嫌〉、〈鍼名〉、〈砭異〉皆不分章，殆即先生所謂之三篇邪？），用五色筆逐篇自爲義例，加之圈點。性不善書，故草稿作字皆疏朗清徹；其更改多，則用粉黃塗滅舊跡，改書其上，行款清疏，無毫髮糢糊。至逐日結草，一章甫畢，即記早晚時節、風雨陰晴氣候，庶他日展閱，並憶撰著時之興會，而日月居諸，及時勉學之心，亦可以奮然興起（〈癸卯通義草書後〉。）。所撰〈言公〉上、中、下三篇；〈詩教〉上、下二篇，其言實有開鑿鴻濛之功，較之《史例校讎》諸篇有進，錄致邵二雲（〈再答周筤谷論課蒙書〉。）。

九月，猶寓講舍，生徒解試甫訖，俱還家待報捷者，闃齋闃然，如在深谷。喬君自遷安來袁，而谷參軍亦過訪，約登高詰朝，九日，聯車出城東門，趨九蓮精舍，先生爲文誌之（〈記遊陽山九蓮寺〉。）。是年秋，天子東巡盛京，冬十月旋蹕，度自臨榆，信宿於縣，守土之吏職事所及，奔走不遑（〈凌書巢哀辭〉。）。周君篔谷招余臨榆茇次（按周君官永清，此時來臨榆者，當亦供除道役也。），觀鄉田秋穫，則羨歸耕，覽山海邊關，相與慷慨懷古。其夕宿海邊寺，聞海潮如殷雷，勢挾風雨，震撼廷*戶，淒清不復成寐。夜半登高，見海日出，意惝恍思神仙。先生謂：「數日之間，隨所見聞，心境屢化，人世何者！可常恃邪！」周君因與先生論文，將託著述以期不朽，自謂「十年博千古。」云（〈周篔谷別傳〉。）。時凌世御官臨榆知縣，先生過其官署。凌君於萬指紛拏紛應旁午之中，爲先生置酒論文，因及劉歆《七略》與後世著錄諸家同異，商榷流別，彈劾利病，娓娓不倦，達夜分始罷（〈凌書巢哀辭〉。）。是冬，先生去永平（〈題朱滄湄詩冊〉。滄湄之父官永平也。是年，又爲滄湄題文丞相遺照。）。癸卯、甲辰之間，永定河道南部陳琮嘗招先生撰《河志》云（〈曾麓亭傳書後〉。）。

＊震謹按：原稿作「廷」，經董金裕教授校訂爲「庭」。且〈周篔谷別傳〉亦爲「庭」。因「庭」通「廷」，故仍按原稿刊印。

乾隆四十九年甲辰　年四十七歲。

是年，先生去永平，主講保定之蓮池書院（〈凌書巢哀辭〉。），自東徂西，去以千里，山程顚頓，書籍復有損毀（〈乙卯藏書目記〉。）。

乾隆五十年乙巳　年四十八歲。

是年，主講保定之蓮池書院，諸生多授徒爲業。先生以爲童子之學，端以先入爲主；初學爲文，使串經史而知體要，庶不誤於所趨，因條二十六通以爲之法；說其平易而高遠者，亦不外是矣（〈論課蒙學文法〉。

按此文甚繁，不及備錄。譚獻《復堂文存》〈章公傳〉節錄此文，略曰：「使孺子屬文雖僅片言數語，必成其章，當取左氏論事，君子設辭，熟讀而仿爲之；孺子能讀《左傳》者，未必遂能運用，今使仿傳例爲文，文即用以論事，是以事實爲秋，而議論爲春華矣。《左氏春秋》稱述《易》、《書》、《詩》、《禮》，孺子讀經傳而不知所用，則分類而習；其援經證傳之文辭，擴而充之，根柢深厚，初學先爲論事，繼則論人。論事之文明暢、疏通、知遠，本於《書》教；論人之文含蓄、抑揚、詠嘆，本於《詩》教。纂類《左傳》人物，而學論贊，必讀司馬遷書，遂使孺子因論贊而知紀傳之事，因紀傳而妙解論贊之文。論人之功既畢，則於《左氏春秋》之業思過半矣。童孺知識初開，甫學爲文，必有天籟自然之妙，非雕琢以後所能及也，迎其機而善導，參之以變化，故自論事、論人以下，諸體迭更，復又使之循環無窮，終身用之不竭也。」）。仲秋二日，〈刻太上感應篇〉成，繼其祖君信先生之志也。（〈刻太上感應篇書後〉。）。冬，自保定暫至京師，館同年生潘編修庭筠家，時潘居興化寺街，與任君幼植居衡宇相望，談宴流連，互爲主客，留旬日出都（〈任幼植別傳〉。）。是年，張介邨赴都，與千叟御宴，先生爲撰〈御賜鳩杖之記〉（〈張介邨先生家傳〉。）。

正月嘗一到北京。

乾隆五十一年丙午　年四十九歲。

先生主講蓮池書院已三年。保定爲畿輔省會，丁酉鄉試同年生之官斯土者與鄉搢紳，皆得以時相見；而乙巳、丙午之間，四庫敍勞，以縣正、州佐試可於督府者又若干人，乃相與醵資觴會於蓮池講藝之堂，各書貫、系、年、甲、齒、敍，授刻成篇。五月下浣，先生爲之序（〈保定公會丁酉同年齒錄序〉。）。是月，張吉甫邀先生偕遊古蓮華池。十二月十日，張君挈其子次豐偕王十二踏月夜訪先生，邀先生觀古蓮池霽雪餘景，先生呼次子授史偕往。有〈月夜遊蓮池記〉（〈月夜遊蓮池記〉。）。

爲布政使梁肯堂校定其師葉君文。

是年，蓮池辭館，當道交疏，至典史背議爲寫白字，乃移居旅店，進退無門。或云戊戌進士開選，先生試往投牒（〈丁巳歲暮書懷投贈賓谷轉運因以誌別〉自*注。按〈丁巳歲暮感懷〉詩有云：「甲乙丙主蓮花池，相國殷勤推項斯」，又云：「相府荒凉韓愈罷」。「相國」蓋指梁文定。文定以五十一年十二月卒；次年，先生即辭館，是先生之主蓮池，必文定薦之也。）。遊京師，遇宵小剽劫，生計索然，困京師者一年（〈蔡灤州哀辭〉。）。寓同年友刑部金君光悌家（〈書宋孝女〉。）。又與陳光第遇於邵編修家（〈會稽陳君墓碣銘〉。）。是年，先生五十生朝，正遊京師主甄青圃家，青圃爲先生置酒盡歡（〈甄青圃六十序〉。）。先生既待選，然心惴惴，恐其得也。冬間已垂得

乾隆五十二年丁未　年五十歲。

矣，決意捨去（〈丁巳歲暮書懷贈賓谷轉運因以誌別〉詩自注），倉促出都門（〈陳伯思傳〉。），返保定（〈蔡灤州哀詞〉。），十月，周君篔谷亦至。先生與周君論課童子法，攘袂紛爭。雲湄、晴坡亦至，皆不及揖，童僕皆誚之，乃失笑，索酒鬮飲大醉（〈亡友傳〉周篔谷跋。）。先是鎮洋畢沅，於乙巳由陝西調河南巡撫，擢湖廣總督，未行，以伊陽拒捕案，被議留任（李元度〈國朝先正事略〉，錢大昕撰〈畢公墓誌銘〉同。）。先生之遊河南也，在是年仲冬，其端自永清周君發之。周君見秀水朱氏作《經義考》，未及於史，以謂學塗之闕，知畢公心羅二十三史之古文，綜八十一家之奇，而先生於史學亦窺涯涘，可以備佐，是以覶縷於畢公，而督先生以行役。時先生方見嗤斥鷃，蟠屈窮途，瞻企欣然（嘉業堂刊補遺〈上畢制府書〉。）。乃上書畢撫台，贄以舊刻《和州志例》二十篇、《永清縣志》二十五篇（〈上畢撫台書〉。按各本此篇題下注云：「己酉十一月二十九日」，誤也。蓋文中有「僑寓保陽」之語，己酉則先生方在安徽，家寄亳州，無緣又居保陽也。且己酉年，畢公已授湖廣總督，亦不得稱爲撫台；以寓保陽、稱撫台，推知其必在此年。蓋己酉年別有〈上畢制府〉一書，各本缺而未刻，遂誤注彼書之年於此耳。）。既就道，念或東郭之竽難濫，則楊朱之路斯歧，寸心交戰，達旦徬徨（〈上畢制府書〉。）。及至，畢公方養痾辭客，而延見先生於卧榻（〈丁巳歲暮書懷贈賓谷轉運因以誌別〉詩。），先生摳衣坐末，申其口胳，畢公豁然稱許。先生遂將挈弱小十餘口，雲浮歸德矣（〈上畢制府書〉。按先生之主講歸德，在明年二月，必爲畢公推薦無疑，故於書中述及之也。）！是年殘冬之別周君於保府也，周君執手於邑，如更無見期。自先生歷聘畿輔郡縣，其間道同藝取以及久要之故，不乏其人，半以君爲介紹。至是畿輔交窮，又揭揭而南矣（〈周篔谷別傳〉。）。是年，先生長孫女及第五子殤於保定（〈丁巳歲暮感懷〉詩注。）。

是年，力償文債，撰述誌傳，動成卷軸。

＊震謹按：先父遺一「自」字，經董金裕教授校補。

乾隆五十三年戊申　年五十一歲。

是年二月二十一日，發開封，訪洪稚存，不晤（按去年冬，先生既見畢沅，沅爲位置歸德主講。先生〈與稚存書〉述其旅程所經，知其由開封發軔也。）。四十里至陳留，又二十五里草店，一宿；雞鳴宵征，三十五里杞縣，小食；七十里睢州。二十三日，行五十里寧陵縣，買麥餅作中食，天卓午矣；自此以東，皆昨歲黃河漫溢地，沙勢迷漫，村舍陷地；行五十里，黃昏始抵郡城。夜宿書院中。書院在東城內，西與府學爲鄰，牓題文正書院，有文正祠堂，軒敞高爽，東西廡則院長所居；館舍寬廣，足以僑家；窗几明淨，足以編摹；苦無藏書，尙未考錄生徒，門可羅雀。先生乃於三月朔日爲始，排日編輯《史考》，檢閱《明史》及《四庫子部目錄》，中有感會，增長新解，以爲不得與洪稚存、武虛谷、淩仲子諸人縱橫其議論也。先生之輯《史考》，以爲《四庫》之外，《玉海》最爲緊要。除藝文、史部毋庸選擇外，其餘天文、地理、禮樂、兵刑各門，皆有應采輯處，不特藝文一門已也。至檢閱諸書，采取材料，凡界疑似之間，寧可備而不用，不可遇而不采。先生致書稚存，約端午節後署中聚首（按署中當指畢沅撫署也。）。班分部別，豎起大間架也（以上均見〈與洪稚存博士書〉。按〈上畢制府書〉中述「周篔谷勸先生爲《史考》。」云云，已詳上年，可知先生初見畢公必創建斯說，即爲畢公稱許。先生之從事編輯，當在此時。洪、武、淩諸君同在幕府，亦當分任也。）。是春，遣迎家室，自保定旅店至歸德書院（〈蔡欒州哀詞〉、〈丁巳歲暮感懷〉詩。）。接到章宗源寄到所輯《逸史》，屢與書邵晉涵，且呈政〈史籍考條例〉，求其相助。五月二十三日，遣兒子入都，赴順天鄉試；並致書孫星衍。中秋下澣四日，與陳春因登文雅臺，舟游，有〈秋日泛舟濠上記後〉。於九月朔，又與書院弟子王奉謐、宋廣啓及先生次子授史等，買舟續前游，更作〈濠上後游記〉（均見本文）。先生作文之勤，多在秋盡冬初，鐙火可親，節序又易生感也。平日所負文債，亦每至秋冬一還；性命之文，盡於《通義》一書。今秋所作又得十篇，諸體古文辭一十三篇。蓋涉世之文與著作之文相間爲之，使其筆墨變化，此既盈卷，彼亦成巨冊矣。流水草本每篇之下，必注撰時月日、風雨、陰晴，他日覆閱，則知撰文時興會（〈跋戊申秋課〉）。按所謂《通義》十篇，雜文十三篇，其目已不可考矣。又今刊各本，題注月日者不及十一，風雨、陰晴則絕無有，不知其原缺歟?抑後人削之也。胡適引內藤藏本《章氏遺書》目,有〈禮教所見〉二篇,題下皆注「戊申錄稿」,按王宗炎*爲先生編次稿本時,嘗復先生一書,有「〈禮教篇〉已著成否?」語;又謂「〈邵傳〉無可商者。」先生之作〈邵傳〉,在庚申病目之後,去此時尚有十年,〈禮教〉篇尚未著成,何緣於此年錄稿?內藤藏本必誤注也。)。五月,〈報孫淵如書〉謂:「愚之所見,以爲盈天地閒,凡涉著作之林,皆是史學。六經,特聖人取此六種之史以垂訓者耳。」(〈報孫淵如書〉)。按「六經皆史」之說,蓋發於此時。)。是秋,爲〈庚辛之閒亡友傳〉,傳中凡十二人;侍朝、胡士震、沈棠臣、陳以綱、唐鳳池、樂武、錢詔、徐鄉坡、張羲年、顧九苞、羅有高、曾愼(見本文。)。是冬,爲〈顧傳書後〉,並寄永清;明年,周君以文付刻(〈任幼植別傳〉。按此傳初刻乃單行本,嘉業堂列入《遺書》之第十九卷,當刻成時，有增改數處，先生曾與周君書，論其誤。嘉業堂刊未改。）。是年，畢沅授湖廣總督（〈國朝先正事略〉。），移節漢江，一時地主面目遽更，先生造謁難通（〈上畢制府書〉。）。冬游亳州，逾月，遷家於亳（〈庚辛亡友傳〉、〈顧傳書後〉。），亳州州知裴振先生，同學友也〈裴母查宜人墓誌銘〉，屬先生撰輯州志（〈經歷何君家傳〉。）。先是先生家自保定南遷，檢點前後存書，亡三十之一，懊恨無已。〈乙卯藏書目記〉。

*震謹按：原稿爲「焚」，經董金裕教授訂正。

乾隆五十四年己酉　年五十二歲。

戊申之冬，自歸德書院將遷亳州，因裒錄一年所著，分別撰述，與雜體文字各爲一冊；而一時隨筆所記，與因請而給者，不及裝冊。是年之春，則又奔走不遑，間有撰著，亦復不能以類相從。三月之杪，下榻太平使院之百穫齋，爲徐使君校輯《宗譜》（〈跋甲冬酉春歸扐草〉。）。桐城張中翰小令，左選貢良宇，皆一時名雋，朝夕比屋而處，皆有文章之役；暇則聚談，談亦不必皆文字，而引機觸興，則時有所會（〈姑孰夏課乙編小引〉。）。時馮秋山已爲安徽布政使司經歷，方修《宗譜》，以例就正於先生（〈馮瑤罌別傳〉。）。是夏，起四月十一，訖五月初八，得《通義》內、外二十三篇，約二萬餘言，生平爲文未有捷於此者；分甲、乙編，〈甲編小引〉曰：「向病諸子言道，率多破碎，儒者又尊道太過，不免推而遠之，至謂近日所云學問，發爲文章，與古之有德有言殊異。無怪前人詆文史之儒不足與議於道矣！余僅能議文史耳，非知道者也。然議文史而自拒文史於道外，則文史亦不成其爲文史矣！因推原道術爲書，得十三篇，以爲文史緣起。新著一十二篇，附存舊稿一篇。」〈乙編小引〉云：「此編皆專論文史，新著十一篇，附存舊作二篇。」（〈姑孰夏課甲乙編小引〉。）。〈原道〉篇初出傳稿，京師同人素愛章氏文者，皆不滿意，謂「蹈宋人語錄習氣」，至有移書相規戒者（〈原道篇〉邵晉涵跋。）。然「題目雖似迂闊，而意實多創闢，如云道始於三人居室，而君師政教皆出乎天。賢智學於聖人，聖人學於百姓，集大成者爲周公，而非孔子。學者不可妄分周、孔。學孔子者，不當先以垂教萬世爲心。孔子之《大學》、《周禮》，一言可以蔽其全體。皆乍聞似奇，深思至確，《通義》以前從未經人道過，豈得謂陳腐邪（〈原道篇〉族子廷楓跋。）。六月自太平返亳，道出維揚，沈既堂先生款留幾及匝月。七月抵亳，値大兒婦病亡（〈答沈楓墀論學〉。）於亳州公廨，又借居民間（〈丁巳歲暮感懷〉詩注。），經營旅殯，拮据殊甚。八月遊楚。十月自楚中回，往返兩月，泥塗霖雨，行役爲勞；此後一、二月稍遏風塵，而匆匆歲事，擾擾志局應酬。明年正月，志事未能卒業，便當挈此遺緒又作楚游（〈答沈楓墀論學〉。）。
八月游武昌，十月回亳。起十一月二十四日，霽雪夜寒，訖明年二月三
日，催花釀雨，得大小雜著文稿二十一件（〈跋酉冬戌春志餘草〉。）
。長子貽選自京歸亳，帶到章正甫《後海記事》及《叢書目》。
輾轉當塗、懷寧之間，厄甚。
按嘉業堂刊《遺書》、《文史通義》卷二，凡十五篇：〈原道〉、
〈原學〉、〈博約〉、〈浙東學術〉、〈朱陸及書後〉、〈文
德〉、〈文理〉、〈古文公式〉、〈古文十弊〉，末二篇固未可確
定爲此年所作，餘則皆此年所作無疑。蓋各篇義旨相承，前後一
貫，與〈姑孰夏課甲編小引〉所言相合，且〈博約〉上引沈楓墀論
學語；〈朱陸篇書後〉謂：「戴君下世十餘年」，戴君之死在乾隆
四十二年，年數正合。又引沈既堂語，皆此年事。〈文理〉篇中引

良宇語，良宇姓左，亦此年在徐學使幕，與先生共事者，皆可證也。嘉業堂所刊，一依王宗炎*原編之次，王之編次，又依先生原稿之次，當即《姑孰夏課》之原本也。由〈原道〉至〈文理〉正十三篇。

△震謹按：〈原道〉、〈原學〉及〈博約〉均各分上、中、下三篇。

* 震謹按：原稿爲「焱」，經董金裕教授訂正。

乾隆五十五年庚戌　年五十三歲。

二月，《亳州志》成（按《亳州志》之成，果在何年，未有明文，然據〈答沈楓墀*書〉，知爲是年二月無疑。且先生〈與周永清論文〉云：「近日撰《亳州志》較前有進。永清撰志去今十二年，《和州志》則十八年矣！」按《永清志》成雖無明文，《和州志》之成，則在乾隆三十九年甲午，自序甚明，至是正十八年。），先生自謂此志擬之於史，當與陳、范抗行，義例之精，亦《文史通義》中之最上乘，自信其非誇也（〈又與永清論文〉。按先生別有與史餘村一書，亦自矜此志之佳，今書佚不傳。嘉業堂刊《遺書》中，《方志略例》有〈人物表例議〉三篇，〈掌故例議〉三篇而已。浙本則編入《文史通義》外篇中云。《和州志》已亡，刪訂《敍論》作爲一卷，又刪訂《永清州志》二十六篇，爲《永清新志十篇》。）。月杪，方得離亳，三月望，始抵武昌，襄陽館未成，制府即令武昌擇一公館，在省編摩，計亦較便也（〈與邵二雲論學〉。按先生之由亳而楚，本在此年；且書中自謂「五十過三」，其爲此年事無疑。）。是年，方擬由亳南歸，故攜一妾赴楚，長孫殤於亳州僑居（〈丁巳歲暮感懷〉詩注）。十二月，作〈任幼植別傳〉。（〈任幼植別傳〉。按是年又作〈蘇文忠公生朝湯餅會記〉、〈孫香泉讀書記跋〉等，皆明記時地，確可徵信。而胡適所譜，謂「是年鈔存雜文中有〈鄭學齋記書後〉及〈朱先生墓誌書後〉二篇」，按東原之作記，在乾隆二十四年己卯；先生之作墓誌，則在四十七年壬寅，其去二十四年，必前有〈鄭學齋記書後〉，時人乃比觀而疑議之，先生因又作〈墓誌書後〉耳！必非同時所作，亦不必待至此年始作也。原題注謂「庚戌鈔存」，不必是庚戌年作也。）

*震謹按：原稿爲「穉」，顯係先父筆誤。蓋先三叔耒研公，字希曾，又字穉露，早逝（僅得三十一歲），常思念之，遂使先父順手書之也。

乾隆五十六年辛亥　年五十四歲。

桐城胡虔，修潔好學，善爲古文詞，是年，與先生同客武昌督府（〈胡母朱太孺人墓表〉）。胡君於襞積之功比先生爲縝密，而先生於論撰裁斷較胡君爲長，互資長技（〈又上朱大司馬書〉。）。然胡君在楚中甚爲先生所苦云（姚鼐《惜抱軒尺牘》〈與謝蘊山〉。按先生與胡雒君頗爲傾服，而姬傳謂其「爲實齋所苦」者，恐是意見偶有參差而已。）。

是年，先生修《麻城志》（〈橫通篇〉。按是年所作有：〈陳伯思別傳〉、〈周書昌別傳〉等。）。

乾隆五十七年壬子　年五十五歲。

是年夏，先生長子貽選北上，訪周筤谷於固安河官之治，時周方病甚，至冬而逝，先生爲作別傳（〈周筤谷別傳〉。）。貽選北上，蓋赴順天鄉試（〈張介邨家傳〉。）。先生是年，又爲朱先生作別傳（〈朱先生別傳〉文中有「下世十年」語推定。）。《文鳥賦》小有改異。邵二雲問其義例，先生答之（〈答邵二雲〉。）。先是先生既爲畢公撰《史籍攷》（見前。），至是又任《湖北通志》事（按檢存稿，未詳始事年月，而〈孝義合祠碑記〉謂：「乾隆壬子建祠時，先生承乏《通志》之役，」是《通志》始於此年也。然先生代畢公作〈通志序〉，則謂：

「乾隆五十三年，總督湖北、湖南軍務，逾年創修《湖北通志》。」是修志起於五十四年，與〈孝義祠記〉不合，此蓋創意始於五十四年，而延士載筆，則自此年爲始耳。故上年先生爲麻城修志，以府縣無新志，則《通志》亦無所借手，故遲至是年耳。）。前後數年間，先生又修有《常德府志》（〈爲畢制府撰常德府志序〉。）、《荆州府志》（〈爲畢制府撰荆州府志序〉、〈覆崔荆州書〉。）。參訂其書者，則有：《石首縣志》（〈與石首王明府論志例〉。）、《廣濟縣志》（〈報廣濟黄大尹論修志書〉。蓋此時方修省志，各府、州、縣承檄採訪，故一時多有續修。先生所參訂，當不止此數志也，其年月先後多不可攷，姑附於此。）。先生游楚，本爲歸山之計，無如楚宦清苦，未能遽遂所求，幸大府力拯援之，得以通志書局相屬云（〈與王春林書〉。書中又云：「告成，足以歸厝先柩，所餘以置十畝三椽之業，八口恃以無飢。

鶡鼠飲河，不過滿腹；此游所得，以視得意宦途，未足以當百一。而儕輩中出宰百里，百憂萬慮，終身不得寧謐，而幷此十畝三椽不得者，則比比也。以此自遣，且以爲知我者慰。」觀此書，可見先生之恬澹。）。是年，有〈與邵二雲論修宋史書〉（以書中有「邵年五十」之語推定，又謂：「近撰〈書教〉之篇，所見較前似有進境，與方志三書之議，同出新著。」知此三篇亦是年所作。）。

閏四月，著《經緯紀年考》。

乾隆五十八年癸丑　年五十六歲。

癸丑，先生家累，自亳歸鄉，水程安穩（〈乙卯藏書目記〉）。按先生自亳赴楚，僅攜一妾自隨，家人仍居亳，至是遂歸鄉。故〈元則公又昌公二代合傳〉亦謂：「癸丑、甲寅余始得以家室歸里。」），先生方遊楚，計卷軸，從此著土，不復遷也。楚多材植，木器價廉，因製楠木書廚十二，寄歸收藏精要諸書。而先生楚中又有所增，比較先後，視先生父勵堂所存，殆十倍矣（〈乙卯藏書目錄記〉。

秋，節抄王鳳文《雲龍紀略》。

或謂〈爲畢制軍與錢辛楣宮詹論續鑑書〉爲癸丑*春所錄，存者誤辨，詳丙辰年下。

* 震謹按：疑原稿於此處漏一「丑」字。

乾隆五十九年甲寅　年五十七歲。

是年，畢沅入覲天津行在。是秋，坐失察湖北奸民傳教，左遷山東巡撫（李元度〈畢公事略〉，錢大昕撰〈畢公墓誌銘〉同。）。先是先生草志稿，爲衆謗群鬨久矣（《湖北通志》檢存稿，〈劉湘煃傳跋〉。按〈與陳工部論史學書〉亦謂：「書未外見，而如佛之口，已譁議其不合。」《丙辰札記》又有：「張某飭詞赴訴之事。」蓋修志本易招毀如此也。）！會制府入覲，囑先生於撫軍（〈劉湘煃傳跋〉。按此撫軍未審何人？《胡譜》謂是惠齡。按代畢撰〈通志序〉云：「爰與先後巡撫，臣惠齡、臣福寧。」則惠齡是前任，已去官；現任者，當是福寧。胡氏之說恐非。），撫軍數自命斯文也。先生初見，即呈〈劉湘煃傳〉稿，隱存專門，難索解人之義，不謂視如糞土（〈劉湘煃傳跋〉。）。時秀水陳燏進士，於先生之將行，求薦司校刊之役。校刊者，校字句之錯訛也。先生爲宛轉薦於當事，當事方疑先生有私。彼一旦承委，即侈心大熾，不以校刊爲事，竟將全志指斥，以爲一字不堪取用；公然請獨任重修，意亦不過爲多冒公費起見耳！然當事畏難，事遂中止。其指駁之說，竟無一字可通；然當事批其稟揭云：「所論具見本源。」（《湖北通志》檢存稿、〈歐魏列傳跋〉。按先生對於陳燏反噬一事，最爲痛心，文中每致慨憤。茲錄一則，餘不具引。）。先生因著〈辨例〉一卷、〈駁陳熷議〉一卷，以明義例（按〈辨例〉之作，乃志局答辨之詞，〈駁議〉則先生去鄂後推闡之作。）。先生之去楚，志稿交胡君齊崙，時以安襄兵備道署武昌知府。蓋制府既去，無知者謗議方興；而蘄州陳工部詩者，楚之宿學，曾以十年之功，自撰《湖北舊聞》，博洽貫通，爲時推許。陳聞衆謗群鬨，而獨識先生書之非苟作；正客胡君幕中，故胡君請於當道，以書屬陳校定。先生臨別時，陳云：「吾自有書，不與君同面目。然君書自成一家，必非世人所能議其得失也。吾但正其譌失，不能稍改君面目。」蓋陳君通人，是以其言如此（《丙辰札記》。）。先生之撰《通志》，於衆謗群鬨之際，獨恃督府一人之知，用其別識心裁，勒成三家之書，各具淵源師法，以爲撰方志者鑿山濬源。嘗自詡「雅有一得之長，非漫然也。」（〈與陳工部論史學書〉，書中具述文史體裁與撰志之苦心，文繁不錄。三書者：一《通志》、二

《掌故》、三《文徵》，別附《叢談》不在三書之列。詳先生爲畢制府撰〈湖北通志序〉。文繁不錄。）。精采見於志稿，此外所爲皆賸也（〈跋甲乙賸稿〉。）。

乾隆六十年乙卯　年五十八歲。

乙卯返故鄉。四十五年不家居，二十年不踐鄉地（〈跋甲乙賸稿〉。），遠道歸來，葺居僅足容身，器用尚多不給，而累累書函乃爲長物，可慨也夫！因命兒輩稍分甲乙，登注簿籍，備稽檢耳，未足爲藏書目也（〈乙卯藏書目記〉。）。是年，畢沅再任湖廣總督，聞苗疆有警，即馳赴常德，籌畫轉餉。時六省兵會剿，供支日不下數萬。公移駐辰州，督運軍儲，輸將相繼（李元度〈畢尚書事略〉。）。先生游楚五年，爲畢制府撰《史攷》，功程僅十八、九，至是以苗疆稽討，未得卒業（〈與阮學使論求遺書〉。）。十月，遊於揚州，有《邗上草》（〈跋甲乙賸稿〉。按是年所作有：〈秋梅唱和小引〉、〈重修揚州唐襄文公祠記〉、〈高郵沈氏家譜序〉，均明載年月。《沈氏家譜》亦先生所主撰，特未尸其名耳。又爲張松坪撰〈墓誌銘〉，《丙辰札記》謂「在乙卯冬」，亦是年作也。又有未言年月，而事蹟可攷知者，如：〈與阮學使論求遺書〉述謝承《後漢書》收藏源流甚詳。至《乙卯札記》雖題是年，而實難限斷。）。

嘉慶元年丙辰　年五十九歲。

丙辰二月，自揚州暫歸（〈跋丙辰山中草〉。），過墟中（〈稱山章氏後宅分祠碑〉。），時章氏宗人修葺家廟落成，將享適，宗老有疾，命先生攝獻酬。祀畢班宴，因與宗人論舊譜輯先世遺聞軼事（〈元則又昌二代合傳〉。）。先生族子鈐者，方建分祠，請先生文記，以勒於碑（〈稱山章氏後宅分祠碑〉。）。是年春，湖北枝江賊起，詭稱白蓮敎，而宜都、長陽、長樂敎匪應之。畢公馳赴枝江，奸民分擾諸縣，諸軍分剿。公攻當陽，縣境悉平；復至襄陽邀擊，賊破之，公密奏撤兵防守。未幾，大兵平隴，詔公馳往苗疆，籌善後（李元度〈畢尚書事略〉。）。時先生以楚中敎匪，尙爾稽誅，弇山制府武備，不遑文事，史考之局，旣坐困於一手之難成；若顧而之他，亦深惜此九仞之中輟，遷延觀望，日復一日，（〈上朱中堂世叔書〉。）。先是朱珪於乾隆五十四年授安徽巡撫，至是授兩廣總督兼署巡撫。六月，有旨內召，俄請前命，仍授安徽巡撫（李元度〈朱文正事略〉。）。先生上書朱中堂，請賜郵書，推薦館穀，則課誦之下，得以心力補苴《史考》，以待弇山制府軍旅稍暇，可以蔚成大觀，亦不朽之盛事（〈上朱中堂世叔書〉。）。遷延過夏，以至仲秋，始決計北上（〈跋丙辰山中草〉。），沿途託缽，惘惘待儻來之館穀，可謂憊矣（〈上朱中堂世叔書〉。）

！九月十九日，自杭州解纜（〈致邢會稽書〉。），歲杪來止安慶（陳東浦〈方伯詩序〉。按先生自家北上，終止安慶，其間曾過揚州，於〈與邢會稽〉、〈趙山陰〉兩書中言之，且謂：《史考》餘功未竟，雖草寇稽誅，歲內終當一往；如得揚州開局，則春初當東反。」又謂：「楚棼稍靖，即當赴楚一行，大約書局仍不離揚州。」云云。是先生必曾經過揚州，惟文字不明晰耳。）。是年，有《丙辰山中草》（《草》中有：〈論學十規〉、〈古文十弊〉、〈淮南子洪保辨〉、〈祠堂神主議〉及〈時文序〉二首，均見〈臧鏞堂跋〉。別有《丙辰札記》，雖題是年，然所記殊難限斷，與乙卯同，或謂是年爲汪龍莊作《史姓韻編》及《同姓名錄》二書合序。又有與汪書說明合序之故。按其說非也。蓋與汪書中不詳年月，僅於題下注「三月」二字，何能定其爲此年耶？今劉刻《通義》、《外篇上》二書各有一序，〈韻編序〉無年月，〈同姓名錄序〉題嘉慶戊午暮春。）。先是，畢公嘗以二十年功，屬客續《宋元通鑑》，未愜心，屬邵與桐更正，邵出緒餘爲之覆審，其書即大改觀。時畢公方用兵，書寄軍營，公大悅服，手書報謝（〈邵與桐別傳〉。）。先生亦嘗參與其事，至是先生爲畢公作書與錢大昕論其義例（〈爲畢制軍與錢辛楣宮詹論續鑑書〉。按〈邵傳〉謂：「書寄軍營」。與錢書題「畢制軍」，則《續鑑》之成必在軍輿以後，否則當稱制府，不當稱制軍也。去年湖北雖已有兵事，然畢沅僅任轉餉，此年方躬自馳剿。且畢沅卒於明年，故〈邵傳〉謂：「公旋薨於軍。」倘在去年，則前後三年，不得謂之旋也。故以《續鑑》之成，次之於此，今刊本題「嘉慶二年」，時日相接，亦可爲證。而或者謂《續鑑》修成在乾隆五十七年壬子，以事攷之，實恐未然。是年邵與桐卒，年五十四，見〈邵別傳〉貽選注。錢大昕年譜謂：「於嘉慶二年爲畢公勘《續通鑑》。」苟於□乾隆壬子通書寄稿，而錢乃遲至丁巳始爲之校訂，於情實殊覺不合。）。

嘉慶二年丁巳 年六十歲。

丁巳之春游古皖（〈天玉經解義序〉，按先生於前歲秒來安慶，尚未歸也。），披《孫淵如集》，疵病甚多，欲以書規之（按王編原目有：〈與孫淵如觀察論學十規〉，而文則闕佚，劉刻亦無之。今北京大學藏鈔本有此篇，文長數千言，抨擊譏彈不遺餘力，雖甚快意，殊乖雅道，故王編存其目而刪其文也。）。爲〈原性篇〉書後（〈與朱少白書〉。按〈書原性篇後〉無年月，而〈與朱書〉則確在今年者。），姚姬傳動筆圈點之（〈又與朱少白書〉。按先生學問與姬傳實不相合，他文罕有述及者。又書中對於戴東原《原善》，謂其「精微醇邃，實有古人未發之旨。」云。）。爲陳東浦詩集作序（按陳爲安徽布政使，是年移部蘇州，先生爲作序贈別。）。季春，在桐城閱試卷，與縉紳知好多爲文酒之會（《丙辰札記》。）。是年，朱珪授兵部尚書，調吏部，皆留巡撫任。宿、靈壁水、合肥*等處旱，皆親賑之，民忘其災（李元度〈朱文正事略〉。），桐城沈明府面求尚書，委赴靈壁監賑，故忙忙趕完覆試。東人既去，先生隨意盤桓此間，志事可圖而不甚高興，摠因心存大欲（〈又答朱少白書〉。按大欲蓋謂《史考》，見下。）。蓋先生於春初嘗上書朱石君，請其代謀浙江文墨生涯，與胡雒君通力合作，以終《史考》之役也（〈又上朱大司馬書〉。書中謂：阮學使與謝方伯合夥，輯《兩浙金石考》，又補《經義考》中未輯之小學一門。任其事者爲胡雒君。先生與雒君頗爲傾服，故欲與之通力合作此書，在正、二月間，其後竟未能如願云。）。時曾燠自乾隆壬子授兩淮鹽運使（包世臣〈曾撫部別傳〉。按傳謂：「曾至嘉慶丁卯，擢湖南按察，去官，在揚州凡十五年。」），闢題襟館於邗上，公暇與賓從賦詩爲樂，敦盤稱盛（李元度〈曾賓谷事略〉。）。先生以陳東浦之先容，仲夏來秋，始見賓谷，問醫饋藥，高誼雲霄，歲暮辭歸（〈丁巳歲暮書懷投贈賓谷轉運因以誌別〉。按此詩敘述一生行事、學業極爲詳盡，不啻自傳。今各家爲先生作傳，多未能得先生之眞。茲將此詩附錄譜末，以代傳記。又按先生之投賓谷，蓋其時方欲修志書，故應聘而至。詩中有：「側聞方志許參議，抵掌仲眉欲圖效。」之語。惟書恐未果修，故遺書中亦不述及矣！）。是年，畢公駐辰州，以炎瘴致疾，薨，年六十八（李元度〈畢尚書事略〉。錢大昕撰〈畢公墓誌銘〉謂畢之卒，在本年秋七月庚午。）。先生則《史考》未成，買山空羨矣（〈丁巳書懷〉詩：「殘篇自爲運籌停，終報軍前殞大星。三年落魄還依舊，買山空羨林泉茂。」自注：「畢公許書成之日，贈買山資。」云云。）！

＊震謹按：「宿靈壁水合肥」當爲地名。惟其時之地理情況不明，姑如此句讀耳！

嘉慶三年戊午　年六十一歲。

戊午暮春下浣，爲汪龍莊撰〈三史同姓名錄序〉（〈三史同姓名錄序〉。按龍莊著有《史姓韻編》及《同姓名錄》二書，先生先爲撰二書合序一篇，〈又與汪書〉明其合序之故，未詳是何年月。今《同姓名錄》自有一序，想先生徇其請，更作之也。）。五月，在蘇州陳方伯處（〈上朱石君先生書〉題注：「戊午六月」知在此年。），節鈔王知州《雲龍記略》一卷（《雲龍記略》。此事《胡譜》列在乾隆五十八年癸丑，未知何據？）又以坊刻尺牘論文之誣罔，撰〈論文辨僞〉一文，並寄朱石君（〈上朱石君先生書〉。按所駁乃《小倉山房尺牘》，先生深惡簡齋，詆毀語甚多，從省。）。立冬日，賓谷使君招飲同人，陳桂堂太守以八座雲石致贈，使君嘉之，鬮韻分題。先生天性不能韻言，客有未知者，鬮得盛字韻授先生，先生恧然無以應也，因即盛字擴爲〈八座雲說〉（〈八座雲說〉）。按由此說推之，先生此年冬季又來揚州，惟他文中未有徵印耳。）。先生既爲畢公撰《史考》，久之未就，宮保下世，遺緒未竟，實爲藝林闕典，因增加潤飾，爲成其志，共三百二十五卷（〈史考釋例〉）。按〈釋例〉又云：「宮保下世，因就其家，訪其殘餘。」云云，是先生於畢秋帆死後，曾往鎮洋求其原稿也。其說實未可信，蓋先生雖自楚回，而《史攷》之業，未嘗一日輟，屢於遺書中言之，特進程濡滯，不如在楚開局之便利耳！是原稿當爲先生所隨攜，豈必待秋帆死後即其家而求哉！〈釋例〉又謂：「此書爲宮保所創，予既爲朱氏補《經攷》，因思廣朱之義，久有斯志，聞宮保既已爲之，故輟筆以俟。」云云。先生並未爲朱氏補何書，而此云然者，蓋指謝啓昆《小學考》而言。此時先生以《史考》未成，而私人之力又不足，因謝方開府蘇州，遂入其幕爲撰就之，故〈例〉中純作謝口吻也。又不欲沒秋帆之盛意，因述其源起於此。惟先生他文似未有言及謝者，故譜中且不質言，而注之如此。秋帆籍沒在次年，〈釋例〉未言及，故次於此。今《史考》既佚，世之藏家未有言其書者。余弟稚露*究心錄略之學，嘗言：「此稿藏在美國國會圖書館。」則實書未失，猶在人間，終有歸來之日，記之以爲後驗耳！）。

*　震謹按：先三叔耒研公，字希曾，曾著有《書目答問補正》。

嘉慶四年己未　年六十二歲。

是年，有〈上韓城相公三書〉（按書中謂：「自丁未叩辭，沈浮江湖十二年矣！」計自丁未至此正十二年。書中又謂：「聖主初親大政，首翦鉅憝。」謂誅和珅，亦正此年事，故知爲此年所上。）。又有〈上執政論時務書〉（此四篇皆極論當時吏治之弊，而歸罪於設法彌補之害。）

。韓城相公者，王杰也。杰，韓城人，乙巳入値軍機，與和珅同列，珅雖惡公，卒莫能去，如此者十數年。及仁宗親政，和珅以罪誅，公意益得發攄，將告歸，上疏論虧空、驛遞之弊（李元度《王杰事略》。），其論虧空一條，即采諸先生書也（〈上執政書〉）。

嘉慶五年庚申　年六十三歲。

是年，作〈邵與桐別傳〉。時先生已目廢不能書，疾病日侵，自恐不久居斯世，口授大略，俾兒子貽選書之（按傳中謂：「邵下世五年」，故知其爲此年所作。）。

嘉慶六年辛酉　年六十四歲。

先生卒於是年十一月，（汪輝祖《夢痕餘錄》。）。生平不好吟詠，臨沒題《隨園詩話》，持論甚正（《兩浙輶軒錄補遺》。）。先生所作全稿，則付蕭山王穀塍校正（按浙本《文史通義》有先生三子*1華紱所跋，謂於易簀以稿付王，而王著《晚聞堂集》有〈復實齋書〉，商編體例，且爲擬改〈原道〉中數語及〈質性〉篇題目，又擬刪〈邵傳〉中一句，是先生屬晚聞校定時，往復函詢，時日必多，倘至易簀時方相付與，何得如此從容？晚聞之書不且爲孝標之答秣陵歟？必不然已。且華紱跋又謂：「穀塍先生旋歸道山。」，而蕭穆攷知「王先生年壽頗高，實卒於道光七、八年，距實齋之沒又二十四、五年，不知華紱何所見而云然。」；由是知華紱所跋實不足據。蓋既經劉子敬、姚春木重編，對於晚聞事實，固已無暇深攷矣。《夢痕餘錄》謂：「付稿在未卒之數月前。」或近眞也。）。

先生子女甚多，其可考者四人：長，貽選，字杼思（貽選事遺書中累言及之，其字杼思：則見浙本《文史通義》華紱識。）；次，華紱，字授史（見先生所作〈月夜遊蓮池記〉。），又字緒遷（華紱事亦累見遺書，其字緒遷見黔本《文史通義》季眞跋。）；四子某，名不詳（劉刊遺書，附載章貽選〈上朱石君先生書〉謂：「其四弟館鄧州者，詎索其先君著述。」云云，知實齋尚有一子，惟不賢耳。四子之外未審尚有他子否？未見《章氏家譜》，僅就實齋遺書參稽之，不能備也。先生諸子多遊幕四方，蓋浙人習尚如此，且亦箕裘相紹也。又按〈月夜遊蓮池記〉稱授史爲「次子」，而貽選〈上朱石君書〉又稱華紱爲「二舍弟」，殆爲一人也。）。孫曾之可考者：孫，某，字同卿（見黔本《文史通義》王秉恩跋。）；曾孫，季眞，字小同（亦見黔本跋。季眞即同卿子，跋中稱華紱爲伯祖，則未審爲叔抑季之後也。）。

夏，爲汪輝祖作〈豫室誌〉，誌中有數字未安，郵筒往返，商榷再三，稿甫定*2而疾作，遂成絕筆。

*1 震謹按：疑爲「次子」。

＊2 震謹按：原稿無「定」字，經董金裕教授校補。

附錄一

丁巳歲暮書懷投贈賓谷轉運因以誌別

蟄苓兎絲杓吳□。石魚桐扣青霜豐。（按首句似脫一押韻字，劉刊本如此，無從校補。）。鐘鏗紫氣匣劍剖。龍虎變化風雲從。天涯何處無遭逢。淄澠涇渭各自媚。大壑無我皆朝宗。東海鯫生最蕭索。哀駘天選良非惡。孤情僻性眞奇窮（董金裕教授按嘉業堂刊遺書本作「窮奇」）。乾坤莽莽懸瓠落。少年隨衆逐辭場。十戰九北何郎當。秋風黃葉長安道。夜雨青鐙邨學堂。長安米貴居不易。奉母將家困僑寄。摩擬潛消筆墨靈。蹉跎暗折江河氣。掉頭十載京華春。蠖屈自詫亦有伸。先茅連拔自丁戊。文章遇合如通神。前後司衡矜薦剡。疊蒙聖主春風領。佳話流傳播搢紳。風塵耳目爭睗睒。誰知管城骨相屯。境遷事往終沈淪。北堂萱謝南路絕。衣食奔走嗟艱辛。辛丑中州尋舊雨。失比遂遭群小侮。蘇秦游困既喪資。蔡澤塗窮更奪鬴。故人作宰肥子鄉。

爲我休蔭停踉蹌。笙簧文酒劇歡會。歲暮風雪忘凄涼。壬寅癸卯勤講課。
北平試擁皐比座。地交山海少耕糧。廟近夷齊嘗苦餓。甲乙丙主蓮花池。
相國殷勤推項斯。琳宮提舉比祠祿。所慙患好爲人師，相府荒涼韓愈罷。
承蜩伎捷斯文詫。朱文曾動天子顏。（自注：戊戌榜前闈中，進前列殊卷
，有醇正之諭。）白字竟遭縣尉罵。（自注：蓮池辭館時當道交疏，至典
史背議爲寫白字）丁未又困京洛塵。選部有官不敢徇。（自注：中道脫館
進退無門。或云戊戌進士開選，試往投牒，心惴惴恐其得也，冬間已垂得
矣，決意捨去。）晏歲倉皇走梁宋。才拙豈可辭賤貧。鎭洋太保人倫望。
寒士聞名氣先壯。戟門長揖不知慚。奮書自薦無謙讓。公方養疴典謁辭。
延見臥榻猶嫌遲。解推遽釋目前困。迎家千里非逶迤。宋州主講緣疑夙。
文正祠堂權廟祝。潭潭深院花木饒。僑家忽享名山福。戊秋洪水割荊州。
大府移鎭蘇虔劉。坐席未煖又揭揭（董金裕教授據章氏遺書校訂應爲「偈偈」）。故人官亳聊相投。

己酉春夏江南北。馳驅水陸無休息。秋冬往還江漢間。炎平歲稔旌門閑。
庚戌重來啓書局。編摹萬卷書撐屋。四年轉輾五遷家。疾病殤亡又相屬。
雞犬圖書行李間。更堪旅櫬波塵逐。人言官畏屢遷貧。何況區區恃館穀。
（自注：壬寅，自京師以十口之家遠館永平。甲辰，自永平攜赴保定，皆作三、二年住。以後家口漸增至二十人矣。丁未，保定失館、移居旅店。戊申，自保定旅店迎至歸德書院；其冬又還亳州公廨。己酉，又借居民間。庚戌，舉家方擬由亳南歸，遂攜一妾赴楚，前後十年所入約二萬金，爲水陸奔馳，竟無寧歲。又戊戌，内艱。後庚子，第三女殤。壬寅，亡妹疾卒。丁未，長孫女、第五子殤於保定。己酉，大兒婦卒於亳州公廨。庚戌，長孫殤於亳州僑居，皆先後歸葬。）自庚徂甲五春秋。飽看山青江漢流。
春風草綠晴川閣。霽雪梅開黃鶴樓。三苗背化唐虞禪。軍府勞心厲征繕。
殘篇自爲運籌停。終報軍前隕大星。三年落魄還依舊。買山空羨林泉茂。

（自注：畢公許書成之日贈買山資）祇合馳驅畢此生。辭官翻似羈官守。
南豐先生當代奇。家學世業儒林師。瀛臺星署抗高步。淮南秉節平度支。
歐蘇舊治即家法。大雅扶輪聲氣治。冠蓋輻輳東南都。八公四子慚孤狹。
潯陽使相東浦公。乃與公閱爲先容。仲夏偈來秋始見。白日無檄醫頭風。
先生高誼雲霄上。全人肩肩視甕盎。問醫饋藥使頻仍。自慙何以答嘉貺。
臣之少也不如人。況今垂老憂患頻。側聞方志許參校。抵掌伸眉欲圖效。
眇視跛行別有優。此事略解陳前籌。周官外史領方志。成周一道同風治。
乘杌春秋各擅名。侯國改制非西京。志爲國史舉全體。陋儒誤認爲圖經。
司書版圖有專職。如何方志混白黑。（自注*1：方志乃一方全史也，而自來誤以地理圖經爲外史之方志，然則司書所掌之版圖又是何物？）。
封建郡縣今古殊。民彝物則無隆污。行人五物獻當宁。風詩采貢國史序。
古人經緯自分明。後人不復辨牛鼠。獲麟絕筆直至今。歷史得失可窺尋。

史遷義本風詩出。比興偏長弦外音。班書典肅原經禮。官儀左國融其體。
蔚宗習染近文人。別裁間出猶鮮新。陳氏三書有微意。陽魏陰劉褒貶異。
造奇蹈穢心術殊。（沈約魏收[*2]）尚存家法非全誣。子顯齊書眞破碎。
史作雕蟲大道晦。梁齊陳周有完缺。（自注[*1]：北齊書、周書，今不全。）
自鄶無譏一埽穢。南北二史誇翦裁。斷紵敗絮如紛埃。唐初晉隋出衆手。
晉雜隋純非例推。劉昫舊唐號蕪滓。歐宋新書矜後起。雖云文省事能增。
未免適屨還削趾。歐陽五代世稱奇。學究春秋文選史。（自注[*1]：歐陽
取法春秋處不免淺易，其學史記頗似古文選本中見解，不得史家大體，非
指梁《文選》也）元修三世明修元。大車冥冥塵未已。聖人制作是爲經。
筆削前朝萬世型。八旂志仿全史例。方志當知奉法程。乃知偏主圖經類。
夏蟲朝菌空紛爭。迂談屢爲時俗笑。山水曲待鐘•期評（董金裕教授據嘉業堂本遺書校應爲「鍾」）。
文定詩才本清穆。山僧夜話非論篤。（自注[*1]：〈冷齋夜話〉謂：「子

固不能詩。」（一〇）瓣香偏似遇追摩。步窘吟詩若局促。南豐賢裔八面才。
餘事爲詩如探懷。春蠶作繭金鑄鼎。化工賦物無安排。瑤章惠我見欲咥。
措語無多神相出。纏綿厚意渥春溫。但恐醫門遂多疾。欲和佳篇屢輟題。
小巫氣折大巫低。晏歲辭歸誌留別。長歌強效鷓鴣啼。

＊1　震謹按：據劉校王編《章氏遺書》，知係實齋先生「自注」，先父省略，特予補注。

＊2　震謹按：據吳興劉承幹校訂本《章氏遺書》，亦爲其「自注」。

附錄二

章實齋先生著述攷

文史通義

校讎通義

史籍考

補經義攷

文集

湖北通志

湖北通志檢存稿

和州志

永清縣志

亳州志

麻城縣志
荊州府志
方志義例
宋史
信摭
乙卯札記
丙辰札記
知非札記
閱書隨札

附錄三

曾煥贈章實齋國傳詩

章公得天稟。羸絀迥殊衆。豈乏美好人。此中或空洞。君貌頗不揚。
往往遭俗弄。王氏鼻獨齇。許丞聽何重。話仿仲車畫。書如洛下諷。
又嘗患頭風。無文堪僉痛。況乃面有瘢。誰將玉瓏礱。五官半虛設。
中宰獨妙用。試以手爲口。講學求折衷。有如遇然明。一語輒奇中。
古來記載家。庋置可充棟。歧路互出入。亂絲鮮穿綜。散然體例紛。
聚以是非訟。孰持明月光。一爲埽積霧。賴君雅博辨。書出世爭誦。
筆有雷霆聲。匉訇止市閧。續鑑追溫公。選文駁蕭統。乃知貌取人。
山雞誤爲鳳。武城非子羽。誰與子游共。感君惠然來。公暇當過從。

一九九二年五月七日夜重新謄淸完畢　次子滋敬錄

章實齋先生年譜

先生名學誠字實齋姓章氏浙江會稽人見兩浙輶軒錄補遺譚獻復堂存稿而文獻徵存
錄謝啓昆晉涵傳作張學誠者誤五代時太傅公之後神堂神主設說往在京師有福建江西江南諸籍貫者皆曰太傅公裔按此乃章氏所
託始也太傅公者名仔鈞五代時人世居浦城洋沈有大度年逾四十晦迹不仕後以王審知尚知有唐乃詣軍門上戰攻守三策審知大喜館為上客奏授高州刺史檢校太
傅北面行營招討使在官有仁政民甚懷之卒賜忠宣王有子十五人孫六十八人分居各省後均蔚為巨族妻楊氏以家居練湖世稱練夫人亦有賢德神堂神主
設中六字述及之由浦城而山陰再從而籍道墟神堂神主設又樂野先生家傳設自文敘公於宋光寧間卜居
偁山之陽是為道墟道墟始祖於太傅公為十三世孫神堂神主設歷元明迄先生時已五
百年偁山章氏改宅分祠碑記自文敘公歷三世分族為三先生為仲氏之後子姓聚處族屬蔓衍負山阻海
迴環十里之間比戶萬家族之鉅者無若章氏樂野先生家傳而先生先世
自道墟遷居府城蓋亦百年仲賢公三世傳記祖名某未詳字君信惰行隱

德望於鄉黨尤嗜史學晚歲閉關卻埽不見一人取司馬通鑑往復天道人事而於惠迪從逆吉凶影響之故津津有味乎其言嘗欲刊布太上感應篇而未及為 刻太上感應篇書後按先生之祖嘗得太上感應篇出於道藏即抱朴子所稱厚戒其書皆君子立身持己之要未嘗謬於聖人欲刊而未及為先生之父習聞遺訓財欲為作注釋亦不果先生承祖若父之志乃於乾隆五十年乙巳刊布其書又語人之東園也則出於嘉善周維良工雕鏤之匠幾文以書法而重且酬其先志云 祖母沈氏 朱笥河笥河文集祭史孺人文 父名鑣字驤衢號勱堂 笥河文集祭史孺人文 母史氏潁州府知府史義遵女會稽人 應城縣知縣史府君墓誌銘按先生父母之事蹟依年分列譜內茲不復贅

乾隆三年戊午 先生生 汪輝祖別傳 於紹興府城

乾隆四年己未 年二歲

初學言語 與史餘邨論文書云僕尚憶二三歲時初學言語凡意所欲達而不能出諸口者遍聽人言恍惚而不可蹤跡惟姊氏長吾六歲提攜抱負朝夕相親又時時引逗吾言以資歡笑僕於當時亦知姊之言不可學也按此文所言雖屬孩提之常情而於遍聽人言之中已知擇取一人以為之師則後之學有據所豈偶然哉

乾隆五年庚申　年三歲　生二三年從叔衡一公每提攜過講居治酒米臾常飲傻瓢欲壯飲以勺酒啖以少許下物不常不非有他故及大風雨率為此先生每聞衡一公足音則躑躅攀附衡一公亦喜色撫之於膝中子

乾隆六年辛酉　年四歲　中尤為鍾愛

乾隆七年壬戌　年五歲

先生之父勵堂先生成進士（笥河文集祭史穡人文）其舉順天解試則在乾隆元年（梁公年譜不收）

乾隆八年癸亥　年六歲

乾隆九年甲子　年七歲

乾隆十年乙丑　年八歲

乾隆十一年丙寅　年九歲

乾隆十二年丁卯　年十歲

先生之長姑母於是年卒　按杜燮均家傳謂燮均之父鎰湄娶於章先生之伯姑也燮均年十二遭母喪而燮均長於先

生二歲知先生之姑母卒於是年也

乾隆十三年戊辰　年十一歲

乾隆十四年己巳　年十二歲

乾隆十五年庚午　年十三歲

乾隆十六年辛未　年十四歲

先生幼多病資質椎魯日誦纔百餘言輒復病作中止（與族孫汝楠論學書按先生稟賦羸鈍各文中累見之而浙刻本文史通義先生子華紱所跋亦謂大幼資甚魯賦質孱弱少從童子塾日誦百餘言常形亟亟大父頗而憐之從不責以課程云云可證印也）時讀書於杜氏之凌風書屋與杜燮均同學於同縣王先生浩浩性極嚴厲也（杜燮均家傳中又云先生遇杜君不假顏色梗楚如風雨驟至君頂骨隆起若禿髮蓋嘗為先生捂擊幾殆久之創愈而頂不復平云云亦可知其嚴矣）是年受室尚未卒業四子書先生父勵堂先生家居聚徒授經先生嬉戲左右然聞經史大義已私心獨喜決疑質問間有出人擬議外者（與族孫汝楠論學書）勵堂先生謁選得應城知縣（從嫂荀孺人行實）以家

二　[illegible]陰范氏

隨宦於楚杜燮均家傳家多病人寧一李翁精於醫理朝夕往來官廨
李清臣袁詞從字一翁者清臣之父也

乾隆十七年壬申　年十五歲

乾隆十八年癸酉　年十六歲

前後數年間先生皆侍父於應城官舍先生父延柯紹庚先生課讀先
生不肯為應舉文好為詩賦柯先生傳官舍無他書得見乃密從內君乞簪
珥易紙筆假手在官胥吏日夜鈔錄春秋內外傳及衰周戰國子史
與族孫汝楠論學書先生父見之乃謂編年之書仍用編年刪節無所取裁曷用
紀傳之體分其所合先生於是力究紀傳之史而辨析體家書三編為
紀表志傳凡百餘卷三年未得成就先生自謂其勞而無用也與族孫汝楠書
當時賓客過從多違心稱譽春秋佳日聯騎出遊歸必有所記述同

人相與贊嘆（杍先生傳）可以窺見其時之境況也是年勵堂先生分校鄉闈（跋陳西峯韭菘吟）

乾隆十九年甲戌　年十七歲

先生既不喜舉子業柯先生嘗慨然誨之（以為文無今古期於通也時文不通詩古文辭又安能通）勵堂先生亦患其業之不精屏此書令勿閱而類纂書史嗜好初入輒傍徨不能舍又耽詩賦亦皆不成（先生文中每自謂不能為詩賦韻語蓋規於此知其幼時固嘗鑽研之也）中無主張蓋已不甘為俗學矣（以上綜輯自汝楠杍先生傳跋甲乙賸稿諸篇說）秋冬間購得朱崇沐校刊之韓文考異時杍先生既禁閱舉業外書及得此集匿藏篋笥燈窗輒竊觀之（其後先生之父又丹黃評點指示為文義法先生自幼習焉手澤所存故珍而藏之均見朱校韓文考異書後）

乾隆二十年乙亥　年十八歲

乾隆二十一年丙子　年十九歲

勵堂先生自事來知應
城縣某杜氏獄不識錯
兵史錦人據部咨實職
匿有詩書擬以報除回
要以未福也至是罷官負
債累累代於其素識人
留千金未償之曰惜妾
知君君以一錢來以一錢去
吾識此非妨也竟不能
歸

是年勵堂先生罷官貧不能歸僑居故治凡十許年 李清臣哀辭

乾隆二十二年丁丑 年二十歲

是年仍居應城 全姨若七十生朝屏風題辭 購得吳注庾開府集有春水望桃花句吳注引月令章句云三月桃花水下先生父抹去其注而評於下曰望桃花於春水之中神思何其縣邈先生彼時便覺有會回視吳注意味索然矣自後觀書遂能別出意見不為訓故牢籠雖時有鹵莽而古人大體乃實有所窺 家書三

乾隆二十三年戊寅 年二十一歲

先生二十歲前性騃滯讀書不過三二百言猶不能久識為文字虛字多不當理廿一二歲駸駸向長經覽羣書於經訓未見領會而史部之書乍接於目便似夙所攻習然者其中利病得失隨口能舉舉而輒當與廿歲

族子汝楠孫汝欽好學不為時文欲與先生剸讀春秋識之旨且有學博只求讀書太易作文太工義理太貫之說

前不類一人是蓋先生之所獨異非盡人皆然也 家書六

乾隆二十四年己卯　年二十二歲

戊寅己卯間勵堂先生主講天門 元則文昌之代合傳

乾隆二十五年庚辰　年二十三歲　從遊河南沁水縣署訪陳執齋歡留旬日

先生自庚辰始賦遠遊 乙卯藏書目記 至京師應順天鄉試主從兄允功家 滕縣典史任君家傳按任君名肇元允功其字也夫也 時章氏宗人居京師者不下百家 章孺人家傳按此文嘉業堂刊遺書本作乾隆二十五年壬午來京師壬午乃庚辰之誤 寄籍已四世矣 從嫂荀孺人行實謂自瑞生公寄籍京師至是凡四世

乾隆二十六年辛巳　年二十四歲

先生廿三四時所筆記者後雖亡失然論訛史於表紀志傳之外更當立圖列傳於儒林文苑之外更當立史官傳皆當日舊論其後竟不能易惟當時見書不多立說鮮所徵引耳 家書六 庚辰辛巳勵堂先生主應城講席 李清臣哀辭

淮陰范氏

乾隆二十七年壬午　年二十五歲

是年還會稽館於杜燮均家（杜燮均家傳說自壬午及壬辰癸巳甲午之閒屢歸故鄉輒館於居帷六月日不可考耳）旋北上

道出山東訪任肇元於滕縣時肇元官其縣典史也（滕縣典史任君家傳）既至京

師因肄業國子內舍自是往復監中幾二十年歷同舍生以千百計始入

監意氣落落不可一世然試其藝於学官輒置下等祭酒以下與[illegible]

同舍生視先生若無物（庚辛之閒亡友傳）而一二同志竊見先生舊業輒太息恨

相見之晚朝夕商榷指畫陳說而學舍去南城十里以遠時以尺牘往復相

評衡云（題壬癸尺牘）

乾隆二十八年癸未　年二十六歲

是年肄業國子監（甄鳴高先生家傳）既不得志於学官試輒見黜同舍生多輕先生二

月德陽曾慎來居比舍言而有洽因慎而交於新寧甄松年同舍諸生乃怪二

人何取於先生也 庚辛之間亡友侍文中又說與曾君初見時言課蒙條例皆君用之果有效 夏季給假省親還湖北 庚辛之間
亡友傳季秋朔日錄壬癸間與同志論文筆札為一帙命曰壬癸尺牘 題壬癸尺牘文中又說請假
出都索處蘭滕僑寓文辛未能有成而論文之稿爛然盈篋非為空論以志近日所見及知交之情累也 飢寒奔走不能安處秋杪又有
秦州之役 題壬癸尺牘 西征道出華陰祭漢楊震墓 祭漢太尉楊伯起文按先生此次之赴陝西未審何為集
中又有觀華碑洞歌弔楊太尉詩望西岳歌等篇想均此行時之所作也 戴震原善三卷作於是年段先生讀之應以為善是先生自我學術雖所同而未嘗不知其長也

乾隆二十九年甲申　年二十七歲

勵堂先生主講天門 李清臣哀辭 冬杪天門胡明府議修縣志先生作修志十議以
論筆削義例大意與先生舊答甄秀才前後兩書相出入 與天門胡明府論修志十議自跋按甄秀才即甄松年先生肄業國子監時友也 時勵堂先生任遂修縣志也 嘉業堂刊遺書補遺劉承幹識語謂其曾得天門縣志一種乃勵堂大令所撰按各本文史通義皆載有修志十議書及天門縣志藝文五行學校考序三篇則天門縣志雖勵堂尸其名而寔出先生之手筆也

乾隆三十年乙酉　年二十八歲

鈞既印以千古为言於衆然讀及时文則云呈下於此要緣不能子然亦不呈字也先生曰家貧親老不能不望科举鶴回科举何难科举何当而要时文由子之道任子之天科举未尝不得即得不得亦無不学时文之害也先生深信其说

是年先生三至京師縢縣典史任君家傳按此云三、去者庚辰為一至壬午為二至此次是為三至因知癸未西征之後仍返湖北未至京師惟其來歸完婚仍時不可考知矣先是自國子監假還湖北至是復來曾慎甄松年俱返其家居監舍中復假假無儔侶庚辛之間亡友傳用國子生應順天鄉試高郵沈先生既堂與分校薦其文於主司不録既堂悦為館之於家邸第俾從事鉛槧益力於学沈母朱太恭人八十序遂留京師遊大興朱先生筠門湖北按察使馮君家傳是時沈先生既薦其文朱先生始言於衆京師漸有知其名者跋甲乙賸稿先生之史学於廿三四時識已卓絶然至是年始見史通則非得力史通可知家書六自訴彼时立志甚

乾隆三十一年丙戌　年二十九歲

章氏学識未充文筆未能如意（攷向一跋甲乙賸稿）

是年先生下榻朱先生邸舍按朱竹君先生家在日南坊李鐵拐斜街北見朱先生墓誌銘時朱先生未除喪屏絶人事時時相過若若程舍人晋芳吳舍人烺馮大理廷丞蔣編修漁邨為燕談之會高齋歡聚脱落形骸若不知有人世蔣漁邨墓誌銘書後先生久著籍太

六三硯堂鈔藏

寓室撰言三卷

六洋險范氏

學貿不知名歐陽瑾先生官司成攝國子祭酒按為歐陽先生撰祭澤母江太恭人文誤昔在丙戌余官司成云云而歐陽先生奉使告祭碑書皮則誤丙申攝國子祭酒申府作成此是書在業堂刊本之誤蓋丙申年歐陽先生已官祭告使矣初蒞臨月試首擢先生第一六館之士一時驚詫而嗜歐陽先生獨謂是子當求之古非一世士也益厚遇之名稍稍聞歐陽先生奉使告祭碑後敘先生嘗以前史二十一家義例不純欲偏察其中得失利病約為科條作書數篇討論筆削大旨蓋即文史通義所發軔也先生家人仍居楚中特寒窘殊甚先生父勵堂主修之天門志是時已刊成惟中為俗人所改所存纔十之六七云與族孫汝楠論學書題下注丙戌故知所述是此年事特志既刊成則修成之期不在此前文中未述及遂不可考劉承幹氏嘗得天門志尚有年月可考惜未刊刻並先生既謂此書為俗人所改則已非章氏父子之真面目固可不刊也與汝楠書中又謂去秋入學一子則先生此時已有二子矣

乾隆三十二年丁亥　年三十歲又是書謂戴東原論今之學者不為識字先生重擬其言是時先生已知有東原矣

是年先生旅困不能自存依朱先生居從傑無聊甚然由是得見當世名流及一時聞人之所習業任幼植別傳按姬傳惜抱軒文集朱竹君先生傳謂先生好交遊揄述人善後進之士多因以得名室中自晨至

夕未嘗無客與客飲酒談笑竟日夜故實齋得以見當世名流若所述程晉芳吳烺諸人也其散見他文者甚夥不勝僂指即与實齋之同學於朱竹君門下者每多可由文中見之茲亦不復舉故其學問胸襟得以恢張也遺書中有爲長興仲士擬公祭湖驛鹽道劉君文及祭族子婦李孺人文二篇題下皆注丁亥二字皆此年所作

乾隆三十三年戊子　年三十一歲

先生寓居朱筠河擷英書屋又已一年去秋太学志局初開當事以推先生執筆　先生亦以久困利其餐錢枉道從事非所好也又來筠河修諸順天志先生亦參其事及至是年二月從寓從兄允功儆齋所居清謐可謝賓客与家守一書題下注戊子知是此年事　先是乾隆二年丁巳先生父勵堂下禮部第即館允功家也是先生又來居寓從嫂苗孺人以其屬近待之有加三十年如一日從嫂苗孺人行實按孺人即於是年卒有二女因無子以先生弟三子華紱爲嗣均見行實中　是秋應順天解試朱棨元先生與同考於隔座見先生對策言監志得失驚怪不已謂六館師儒安得遽失此人朱府君墓誌銘　中副榜受知於江寧秦慎之先生適從贈邱君文稱戊子邱君舉順天解試与君

因受知於秦愼之先生按是年先生亦未中式知是副榜 是冬先生父卒於應城先生聞訃猶暫寄允功

家 章氏二女小傳

乾隆三十四己丑 年三十二歲

是年先生既居憂仍留京師馮廷丞分宅以居之 按嘉業堂刊遺書補遺中有上朱先生書壬四月廿八日署名上有制字又述舉家北還之事知是此年事並已翻均錄先房全又見告云云知先生家人未到已與馮君共居矣 舉家扶柩附湖北漕艘北上 乙卯藏書目記 春水大漲漕艘在運河中全無耽擱六月上浣楚舶抵通匝月之後 上朱先生書

先生奉母至京師馮君分宅安其老幼馮君婦周淑人見先生母相得甚歡母亦忘其老而家之難也 馮室周淑人家傳 先是勵堂先生少鄒君信先生遺書散佚家貧不能購則借讀於人隨時手筆記錄孜孜不倦晚年彙所劄記殆盈百帙嘗得鄭氏江表志及五季十國時雜史數種砍缺存之編其文體破碎隨筆刪潤文省而意更周仍其原名加題為章氏別本每述人所借有劉未

淮陰范氏

竟者悵悵如有所失蓋好且勤如是然聚書無多隨身三數千卷是年漕艘北上書篋為漏水所浸此三數千卷失三之一然先生於戊子以前未有家累館穀所入悉以購書性尤嗜史累朝正史二十三部非數十金不能致則屢累求之凡三年而始全大小新舊參差不一殆如百衲琴（乙卯藏書目記）是時舉家十七八口米珠薪桂云（上書首朱先生乞薦官書）三四門蓋是春先生為秦芝軒校編樂典欲得類此者薦之也（上朱先生書）且先生此時方以國子生與修監志諸學官多與抵牾獨司業朱先生棻元主之而侍先生朝弃除國子監丞與先生言尤有深契（庚辛之間亡友傳）是年任幼植登進士先生始得投見然以謀食未得時相過也（任幼植別傳）蕭山汪輝祖赴京會試始交先生（汪輝祖病榻夢痕錄）二人自是交三十二年不衰（夢痕餘錄）先生既居馮宅陳伯思與馮氏世姻婭時過馮劇飲先生未嘗不與每飲酣縱談不復知有人世也（陳伯思別傳）

乾隆三十五年庚寅　年三十三歲

是年僑家柳樹井南馮按察舊白居（贈槐樂亭敘按馮按察即馮廷丞去年分宅以安先生家人是歲赴浙江任而先生則仍居是宅也）與裴君之齋（按裴君名振天津人）衛宇相望暇日數相過從（貽樂槐亭敘）

乾隆三十六年辛卯　年三十四歲

是年先生有江南之役道山東弔從女於滕縣西城居宅其婿任君以乙酉春死矣家人即留居舊治故先生過而弔之（滕縣典史任君家傳）先生之不見江南秋已二十年矣（候國子司業朱春南先生如按先生出遊在十四歲隨父往湖北至是正二十年也）是年之南遊著蓋朱笥河為安徽學政故先生於是冬客其太平使院中也（韓姚）邵晉涵是年登進士第亦在幕中先生始與之相識（周書昌別傳）時先生方學古文辭於朱先生苦無藉手邵君輒據前朝遺事俾朱先生與先生各試為傳記以質文心（邵與桐別傳按乙卯丙辰札記謂邵君口授以景烈婦事略又謂邵君出宋介三父欽百明季遭亂婦女之死節者俾先生與朱先生擬而改之盡其事而采而文不稱）

也此皆是年冬事今集中某烈婦傳尚存而所改宋文則自嫌未善棄其稿矣先生與邵君言次盛推其從祖念魯先生思復堂文集謂五百年來罕見（邵與桐別傳貽選跋）時太平知府沈既堂乃先生之薦師也博通好古延攬才俊一時知名之士若陽湖洪亮吉武進黃景仁莊炘等时相過從與他顧文子為既堂子在廷授經文子日識五千言而先生質最鈍因之不能信云（庚辛之間七友傳）先生出都以來頗事著述斟酌藝林作為文史通義書雖未成大旨已可見蓋將有所發明然辨論之間頗乖時人好惡不欲多為人知壹以內篇三首呈正於錢辛楣先生（候國子司業朱春浦書上錢辛楣宮詹書知此書作於是年者朱書中謂二十年不見江南秋至此正二十年又謂大旨已見辛楣先生候牘云云也）錢辛楣於先生所論似不謂然（嘉業堂刊遺書補遺又答朱少白書此事与通人言每多不以為然辛楣先生尚不謂然則錢氏之不能賞識先生有明徵矣）

乾隆三十七年壬辰　年三十五歲

是年仍從朱筍河較文安徽學使幕中（周少良谷五十初度屏風題辭）暫歸會稽（章穆人家傳）至墟

里省祠墓且訪先人舊所交遊多零落矣（允則公文昌公二代合傳）是年夏訪馮廷丞於寧波道署（湖北按察使馮君家傳）馮君方官於是也乃遇馮瑶罌及仲礪秋山兄弟皆在署中相得甚歡（馮瑶罌別傳按馮仲礪當與先生同學於朱氏）

乾隆三十八年癸巳　年三十六歲

是年春正初旬訪邵與桐於姚江里第盤桓數日論思復堂集高於全祖望文與桐因屬先生校正其書因循未成（邵與桐別傳戊戌遊跋）是春又返道墟訪兄懷忠先老矣述先世事油然使人生孝弟之心（樂野先生家傳）二月客寧紹道馮君館舍（書孝豐知縣李夢登事題注癸巳二月）署中一時賓客以十數與蔣五式桐知最深（蔣南冈先生家傳）夏與戴東原遇於馮君署中（記與戴東原論修志）時東原主講金華書院（段玉裁編戴東原年譜）馮君所敬禮（譚獻復堂文存章實齋傳）與先生言史事多不合（記與戴東原論修志）先生謂東原經學淹貫精通而史學非其所長　是年先生又在和州編摩州志得文

大淮陰范氏

和州志修成
凡四十二篇別編州中表述有裨文獻者為文徵以卷上先輯於安徽學使秦潮湖北州據舍山縣表但詳州內職於縣且多衰見不合桂直覺語志而中房季夏月刪為稿為二十篇擬予排行文史通義之一種名之曰志隅

山陰金子友蓮論文有契於心（金地山印譜序）和州志例先成与东原遇時已論及之矣（記与戴东原論修志）先生於癸巳甲午間往返江湖屢止寧波官舍輒與瑤翌秋山論心訂仲西亦時來者元皆長安舊友又作海天之聚焉（馮瑤翌別傳）

乾隆三十九年甲午　年三十七歲

和州志以是年季夏是月修成（嘉業堂刊和州志偶闕序年月然此當即修成之時）乃與金子友蓮同返浙江應是年鄉試泛姑溪渡高淳鉅浸曉浮鶯脰之湖乘月夜過虎邱沿嘉禾吳興古郡以歸游涉數百里間（金地山印譜序）復反會稽（章孺人家傳）回墟省墓（元文公像記）冬依馮君寧波道署（湖北按察使馮君家傳　按先生所撰和州志原本不傳今浙刊文史通義外篇一為和州志序例等凡十六篇並輯闕微書有志隅一篇（自敘）蓋先生得通又示人雅疑信參之空言不及徵實也故就和州志刪為二十篇以示推行之一端今此二十篇列入嘉業堂刻遺書本中）

乾隆四十年乙未　年三十八歲

是年春馮君還臺灣賓客雲散先生訪蔣君五武於山莊流連數晨夕（蔣南沙家信）

十三硯堂鈔藏

冬初往涿州視芝先植書之女仲冬又往到則已死又日矣

是年先生初與於宗人春社（家致川八十序）既倦遊江浙復返京師（庚辛之間亡友傳）遷居全
池西北（題樂槐亭叙嘉業堂刊本作此按池西二字疑倒）先是辛卯壬辰之間凡再從家藏書頗有散失
勵堂先生所鈔錄多襲巾箱倫兒不知為書簡之以去幸其述草稿別置
一箱得以僅存（乙卯藏書目記）新居距裴衣立齋家纔百步裴君舉先生文示樂槐亭
槐亭撫掌稱善令裴君邀至其家冬夜圍爐縱談論文（題樂槐亭叙按庚辛之間亡友傳記僦居
去柳井不二百步因得時相過從亦記此事也）仲冬之月九日丁酉先生宗人瑞岐卒於京師先生與章
氏之在京者祭之（宗人公祭瑞岐先生文）先是癸巳二月四庫館開（四庫全書總目題要卷一聖諭）邵晉
涵周書昌均以宿望被薦特徵修書先生因邵晉涵往見書昌於藉
書之園藉書園者書昌之志也書昌積書近十萬不欲自私故以藉書名
園云語先生為藉書目錄之序（周書昌別傳藉書園書目序）侍先生朝亦徵為四庫總
校徵第開館延名流多聚書（同學邵公）先生因時時過君藉觀書且又多識其館

北上道過涿止偕女未赴內家旋

淮陰范氏

容而元和胡士震歸安沈棠臣相得尤深每冬夜過從輒留止宿暫罷校課賓
主爭出酒餚歡先生劇談淋漓恣肆極一時之興會，並先生是年之後反京
師親老家貧挾策謀生未有長計也（庚辛之間亡友傳又任幼植亦徵為募修先田良傳生友也任君方病先生訪之卧內見任）
（幼植別傳）先生自訂是时学識方長而文筆亦能指敍達並不免有云云於此也（跋甲一謄稿）

乾隆四十一年丙申　年三十九歲

是年先生困京都（庚辛之間亡友傳）寄未又不易（周篔谷別傳）將近遊畿輔大興朱笥河
屬先生於門下士山陰張方理時張君家清苑悉畿輔風聲為先生約車詢
所往先生曰蠡縣梁君曲陽周君張曰是皆風塵中文雅士也梁君夢善字
兼士錢塘人周君震榮字青在一字篔谷（嘉善人）梁君先生故交（周篔谷別傳）司業朱
棻元為先生書屬周君（庚辛之間亡友傳）梁君乃資其行李訪周君於曲陽時周君以
清苑丞攝曲陽縣事先生紆道以文謁之周君方置酒宴客無暇省餘郗坡

實在此時非戊戌也
死是年

先生取其文一再閱，詫言於周君，周君始有言於先生（庚辛之間亡友傳）。先生既見周君，亦讚歎異之（編修周府君墓誌銘）。其後先生屢館畿輔，至於攜家自隨，中歷悲歡離合，且有死喪疾厄患難之遭，周君每與休戚，周旋於其間者一十二年（周筤谷別傳）。

是年周君移治永清（周筤谷五十初度屏風題詞。按周府君墓誌銘，謂四十一年見於曲陽，明年移治永清，是移治乃丁酉矣。然題詞則謂周筤谷於乾隆四十一年丙申署永清知縣，年代確著，似無可疑。且墓銘乃後日追敘，難免譌舛；題詞作於戊戌年月，甚近，必無所誤，故依題詞也）。先生亦援例授國子典籍（庚辛之間亡友傳。按此丙未當是仍月日，始訖一年之末）。

是年戴東原卒。先生有朱陸篇，言亦在譏東原，而未出東原名，殆是東原未死時作；若死後則明言之矣。別西在東原死後追記也。

乾隆四十二年丁酉　年四十歲

周君既為先生位置主講定州之定武書院（庚辛之間亡友傳、書孫氏母子貞孝）。定州地曠而瘠，封界南北之衝，差役擾擾，學校無經史，搢紳家至不能備六經三傳，後生見聞無由自廣。時太守為李君，先生之主講也，不尚時藝，而夜以詩書，使之日浸潤於古。又於院中招致幼童，立分經識字條例，與諸生處甚相得（與定武書院諸及門書）。時永清

先生既試出嵇試文科 之告[illegible]大笑以為怪誕世 忠[illegible]特嘆賞[illegible]子 或不知[illegible]乃知是榜首先 生大試論國紀試日余 閣中[illegible]文陳契於心啟 [illegible]封知出[illegible]卿[illegible]不知 子名詢卿[illegible]日不 知閣下文家師乃知編 脩如是

按保定[illegible]公丁丑同年齒錄云 丁酉天下御試[illegible]是年適考 選拔生[illegible]元[illegible]之[illegible]公[illegible] [illegible]錄寓人特[illegible]拔貢生[illegible] 拔錄[illegible]於是同年友生[illegible]於 都下[illegible]於[illegible]日[illegible]隨一

修輯縣志屬先生撰次其事（周震谷五十初度屏風題詞）先生受聘季夏濟中諸生餞送惓惓之意先生亦不能恝然也（與定武書院諸及門書按此書作於十月二十八日院中諸生可考見者有何驥凡王南琛王飛九高彥士王秉鑑何景瑞及其弟清桂翼龍沈毅英鄭兆珂尚風古及狂廷琳劉棟山鹿廷鍔王集義戚先勳郝文衡王亞穊張潤元田香圃尚盛功馬冀北錢士杰牛淨齡朱敬止孫岳秀尹衡南淞錦張逢堅等數十人）先生以修志居永清外館其館逼近官署周君好談文時時迎先生署中縱談文事輒令諸子侍側（庚辛之間亡友傳）文墨之士聞風過訪往復討論縣衙乃如名山講社（周震谷別傳）與定州高坐談經意興不甚懸殊（與定武書院諸及門書）秋初入都解試（庚辛之間亡友傳）梁文定公主試公惡經生墨守經義束書不觀發問策博學書傑貫雜以文事以覘宿抱（庚辛之間亡友傳）是科試題為回之為人也句（丙辰札記）先生獲解同年可考者（是科同年亦見先生集中）有朱震頤（國子監司業朱府君墓碑）郎氏錦騤錦驥兄弟（直隸按察使郎公家傳）張羲年（助教張公墓誌銘 庚辛之間亡友傳）杜書山（為梁少傅撰杜書山時文序）王定柱（與定武書院諸及門書）先是馮廷丞稍羅臺山文於先生先生於是知臺山已而邵晉涵報歸以先生文示臺

甲共五人共中得大魁共二人宗登進士第選庶吉士共不乃藩計故都門集今以丁丑同年指屈盛焉

山臺山亦悵不得見先生相慕久之至是年冬臺山來京師先生又修志於永清不以時歸臺山訪先生門至再三且登堂拜母先生乃亟訪之於寓齋冬寒夜長挑燈擁爐談竟夕不倦也（庚辛之間亡友傳）　是年三月丁卯先生有公祭宗人静海處士文（見本文）　長子貽選從朱笥河假影鈔本劉復愚文集手錄之

（唐劉蛻集書後）

乾隆四十三年戊戌　年四十一歲

是年春初馮廷丞以江西按察使獲譴逮刑部旋蒙恩以府同知驗用江南先生方館永清聞馮君之逮趨京省之羅臺山亦期集禮部故與馮君友善亦數過馮邸舍（馮瑤罌別傳）　是科（典禮部試者為翰林王杰[illegible]）先生第進士（[illegible]宋府君墓碑）　歸部待銓（庚辛之間亡友傳）　先生登第在四十外中間七應科場三中兼副榜一薦一備二落（與汪龍莊輝祖簡）　旋丁內憂時館永清撰輯縣志（庚辛之間亡友傳）　季夏上旬六日為朱笥河先生五十初度

淮陰范氏

之長門弟子一時居京師者相與奉觴上壽俾先生為之辭朱先生三十初度屏題詞按先生母夫捐人之卒不知其何時亦以失記姑于丙申以前三年四月間故列於題詞前

先生進士同年有汪輝祖汪龍莊家傳金先悌儒學教授金府君墓誌銘張雲涵維淇周晴坡榮庚辛之間亡友傳周晴坡良谷跋淩書巢世御淩書巢哀詞

乾隆四十四年己亥　年四十二歲

是年志成庚辛之間亡友傳按又與永清論文書永清志之成後於和州志六年應在是年並亡友傳固明著也先是先生以舊志多所掛漏官紳采訪非略則擾因具車從橐筆載酒周歷縣境侵指以盡委備前無司撤徵金石文字上續通館永清勝振荒僻無徵久矣至是得唐宋遼金刻畫一十餘通咸著於錄又以婦人無閫外事而貞節孝烈錄於方志文多雷同觀者無所興感則訪其現存者安車迎至館中俾自述生平其不願至者或之訪其家以禮相見引端究緒其間悲歎情樂殆於人心如面之不同也

前後接見五十餘人皆詳為之傳其文隨人變易不復為方志公家之言周筤谷別傳後先生修亳州志時又有新得恨永清志頗蕪雜因刪訂二十六篇為永清新志十篇自覺峻潔焉又與永清論文書按嘉業堂刊遺書外編有永清志凡分紀二篇表四篇圖三篇書六篇略一篇列傳十篇共二十五篇此語二十六篇者蓋連並文徵一種為一篇計之也嘉業堂所刊仍是原本至刪訂之新志則已佚矣浙本通義又有序例十五篇當志既成先生遊館會稽相公梁文定家者二年庚辛之間亡友傳孟秋周君于役順義先生自京往視之周君置酒相見出新志示坐客張維祺周晴坡邑並爭延先生先生已就梁約未之諾也庚辛之間亡友傳周筤谷跋語此事在辛丑孟秋然辛丑時先生已辭梁他去不得云秋梁約且志成已二年亦不得云新成也考之當是年孟秋也是年周君購宅於嘉善蕎里取戴記禮以樂福之義以福禮名其堂先生為文記之福禮堂記又著校讎通義四卷跋酉冬戌春志餘草稿今存家刻本皆三卷因先生於辛丑遊古大梁失去原稿知好家有鈔存三卷至有異同第四卷竟不可得先生後至歸德書院又自校正一番今存家所刻本即校正本矣是年在永清客館時遘危疾家人不知死生耗周筤谷別傳

乾隆四十五年庚子　年四十三歲

先生是年始遷灣邸否
涵寫於北京

當庚子歲困極思遊是冬乃辭文定館方窘歲事第三女又病痘殤亡辛歲悽涼（庚辛之間亡友傳）先生自謂庚子以來前此十年大小八喪皆當飢寒奔走不得盡其哀每至顛頓狼狽章惶失志周君必為先生設籌至無可如何未嘗不悽涼相弔也（周永谷別傳）坎壈甚矣而師友知交彫落多故亦莫甚於庚辛之間云（庚辛之間亡友傳）

乾隆四十六年辛丑　年四十四歲

是年既辭文定館（庚辛之間亡友傳）遊河南不得志（張介邨先生家傳按遊河南必有所投茲不得詳帷與邵與桐書云以海度之素交而刻薄哉情迴出意計之外又亡友傳云遊大梁比之匪人似皆與不得志之語有關惟海度何人亦不可攷）中夏返轍都門便道訪同學邱向階於南樂縣時邱君為南樂知縣也留連數晨夕先生為作通說題南樂官舍（通說題南樂官舍按先生是年由開封返京過肥鄉而遇盜南樂正在開封肥鄉之間是作通說時必在遇盜前也通說略曰邱君因悚未先生言以子好讀書亦通乎為都市植路四通八達無施不可因榜通達二字榜於軒右並吾以為先生之言通蓋擴手女墨而未循手其本荀勉篤手浩博雜蕪之數而無所自適是為患古人守專經言無旁出推而及於當世卓然見其本末往復發以求通則貧哉所

則矣惟取性之所近而用之斯勉於因以推微而知類合偏而得全斯古人所以求通之方也云云 北行中途遇盜狼狽衣短葛 按葛疑當作褐各本同 走投同年生張維祺於肥鄉縣衙維祺方遠出其父介邨先生款接甚殷遠客患難之中安如室處 張介邨先生家傳 此行盡失篋攜文墨四十四歲以前撰著文字蕩然無存後從故舊家存錄別本借鈔十得其四五耳自是每有所撰必留副草以備遺忘而故人愛先生文者亦多請鈔存副墨 跋酉冬戌者志餘草按跋中又謂周青莊史餘邨鈔藏尤多朱少白稍次後過維揚沈鹺使院堂之令人鈔存に卷訛家有共五殺十得八九矣 是年既落魄依肥鄉官舍 張介邨先生家傳 主講清漳書院 廣平栗君墓誌銘 嘗策問四書大義六道又嘗以志學發問 按策問題均載集中 諸生置對通場無一人先生乃稍變通先期發問諸生鈔錄回家十日以後錄入下次課卷則窗下儘有餘閒可以繙閱經書從容置對亦先生勸學之一法也 清漳書院條約二則 肥鄉永年二縣議脩志聿擾擾數月竟無定局然肥鄉主人於先生厚故一時來去怱怱半載嘗謀天津及蓮池之席皆成畫餅又致書邵與

揚宮黃鶴簃文集
吾作敬

桐託薦於畢中丞（與邵與桐書）又上書梁相公乞為振援時一家十五六口浮寓都門嗷嗷待哺數年遭困以來未有若此之甚者（上梁相公書）先生則羈栖肥鄉戢羊羈滯進退為難（與邵與桐書）其年維祺移劇大名（張介邨先生家傳）是冬先生亦去肥鄉（廣平栗君墓誌銘）至歲秒自大名辭歸（張介邨先生家傳）是年夏六月戊戌（二十八日）大興朱先生卒（朱先生墓誌銘）

先生子以西監事例停科十年（與邵與桐書按與友傳周篔谷跋記辛丑孟秋予役順義得與張雲湄維祺予季晤坡榮相比家齋自京來視因置酒招見時永清志新成出示坐客云云惟先生是年秋冬之際實在肥鄉大名寺杪乃返京無由於孟秋已在京師且北赴順義也而張維祺似亦無北上之職辛丑二字蓋是誤記跋又記兩君遊各就所治采綴成書雲湄之書実齋已為訂定按先生嘗為張君撰序記志於五十年成而女記大名縣志轶事係女則記志稿未託而罷官因以其稿商於先生張君罷官在五十年時先生久去大名矣計先生之在大名前後不過二三月耳時大名崔述與其弟邁並有文名為士林推重先生嘗於廣平栗君墓誌銘中稱之是先生未嘗不知有崔氏兄弟也但未相與接論學術耳）

蘋人識

乾隆四十七年壬寅　年四十五歲

是年春天子展謁東陵旋蹕休憩盤山靜宜山莊（盤山在薊州西北名勝甲於畿東）畿縣例供除道先生方自畿南失意歸客永清永清知縣周君亦

與斯役邀先生偕行環山治道州縣茇舍相望時桃李方華鎮山雪初霽四山照耀周君置酒遍召同官藉莎歡飲同官又互相酬答尋山名勝殆適先生亦自忘家無為宿糧也先生因識撫寧知縣凌世御書巢以上參合周篔谷別傳及凌書巢哀辭

朱笥河既卒是春三月其子錫卣等卜葬俾先生為銘誌朱先生墓誌銘先是先生嘗為鄭學齋記書後略曰戴君說經不盡主鄭氏說而其與任幼植書則戒以輕畔康成人皆疑之不知其嘗是也大約學者於古未能深究其所以然必當墨守師說及其學之既成會通於羣籍與諸儒治經之言而有以灼見前人之說之不可以據於是始得古人大體而進窺天地之純故學於鄭而不敢盡由於鄭乃謹嚴之至好古之至非蔑古也乃世之學者喜言墨守則害於道矣害道周孔誤何言焉鄭非輕若手此累其術者記數不敢失猶不遠也黠者不復需學但襲成說安坐而得十之七八不必自求心得者之什一二矣而猶自矜於七八股曰標之賊也於是有志之士不求於古而惟以所安以課學即主是則六經束高閣而五尺童子皆可抵掌而談學術矣未能深有得於古人而遽疑鄭學此戴君之所以深懼也按先生於清漳書院以四書問難極指懷疑之見以語學者眈近之士多稱道之引為同調然觀此篇知先生固非輕致疑也極言墨守之弊至是作誌謂朱先生於名物象數訓詁文字並主漢人之學或謂先生於此有微辭焉此則拘文牽義難語通方先生此誌於朱笥河學問文章頗得其要不溢美不歉量固無

隱無犯之大義（朱先生墓誌書後按先生以謂朱筠所為文章家言經傳訓詁取足證經之言宗旨與專門治經師授淵源一字不容假借此又不同科又謂筠以善於因云）其後十年又為朱先生別傳（朱先生別傳按又荅朱少白書謂同墓誌頗為外人譏彈則家傳奉呈史館之下深藏勿出也淮揚間人有從先生遊者其才甚美以學向能未成家記誦則甚博富從向以為畏近見其湖湘間一妄人耳有才無識不善用其所長激以名心向欲使撰先生行狀今似可不必矣此妄人蓋指汪中）是年主講永平敬勝書院（上友漢癸卯通義跋）自京師移家遠赴邊關（乙卯藏書目記）自是挈家南北遊不復居京師矣（同業朱府君墓碑）適有季妹之喪家人倉卒收書綑載未牢中途頗損毀（乙卯藏書目記）永平山府近邊學者鮮可與語僻處輒不自聊而一時官斯土者若經歷曹縣袁汝璟遷安知縣上海喬鍾吳昌黎知縣洛陽劉嵩嶽灤州知州安岳蔡薰撫寧知縣錢塘凌世御皆以文章性命詩酒氣誼與夫山川登眺數相過從而凌君喬君袁君與先生尤為契深（凌書巢哀辭）喬君三子俱尚舞勺之年殷然有向學之意是年請學於先生先生為作字說（喬氏三子字說）

乾隆四十八年癸卯　年四十六歲

是年春先生僑寓京師臥病邵編修晉涵載先生於家延醫治之先生沈困中輟吾与邵君論文学每至夜分邵君語先生德先生氣益壯會稽陳舉人光第為邵君課子授經朝夕相見論文及学莫逆於心（以上參合邵与桐別傳會稽徐君墓碣並銘）是年仍主永平講席（庚辛之間亡友傳）五月下浣有與喬遷安明府論初学課業三篇蓋喬之子姪多從先生受業先生因教以說文編韵為經学認字之基史論須讀四史論贊晉宋以後姑緩待之史家論贊本於詩教與綱目發明書法通鑑輯評之類有異（与喬遷安明府論初学課業三簡按簡又謂為臨榆張姓童子開泰年甫十六能讀五經左傳德甫伯元鈞來此肆業頗示可教並聽父兄俗解已又行且試觀出手因材勸誘也）時周筤谷有文先之輯先生不謂然與書論之謂取詩疏為制舉之權輿史贊為古学之底蘊謂童子文字以無題目蹊徑者為易（答周筤谷論課蒙二書）書院生徒少又游惰不知学業（癸卯通義草書後）難與深言（再答周筤谷論課蒙書）間出論題諸生多為八股款式去其破承而加以粗率先生為之向絕（与喬遷安明府論初学課業）

今第名可考者有詩教上下言公上中下共五篇又今本通義中俗摭識名疏辨等不分章張邵先生所說之三篇邪

七月生徒散去應順天鄉試初三日置册結草記補筆文史通義九月初二日閱兩閱月而空册已滿得書七篇分八十九章三篇不分章者不與總得書十篇計字二萬有餘用五色筆逐篇自爲義例加之圈點性不善書故草稿作字皆跡朗清徹其更改多則用粉黄塗滅舊跡改書其上行款清疏無毫髮糢糊全逐日結草一章甫畢即記早晚時節風雨陰晴氣候庶他日展閱並悵想其時之興會而日月居諸及時勉學之心亦可以奮然興起癸卯通義草書後所撰言公上中下三篇詩教上下二篇其言實有開鑿鴻濛之功較之史例校讎諸篇有進錄致邵二雲再答周筤谷論課蒙書九月猶寓講舍生徒解試甫訖俱還家待報捷者闃齋闃然如在深谷喬君自遷安來袁而谷參軍亦過訪約登高詰朝九日聯車出城東門趨九蓮精舍先生爲文誌之記遊陽山九蓮寺是年秋天子東巡盛京冬十月旋蹕度自臨榆信宿於縣守之吏戢事而及

二三硯堂鈔藏

奔走不遑（凌書渠哀辭）周君筤谷招余臨榆茇次（按周君官永清此時來臨榆者亦供陳道役也）觀鄉田
秋穫則羨歸耕晚山海邊因相與慷慨懷古其夕宿海邊寺聞海潮如殷
雷勢挾風雨震撼廷户淒清不復成寐夜半登高見海日出意惝怳思
神仙先生謂數日之間隨所見聞心境屢化人世何共不常特邪周君因與
先生論文將託著述以期不朽自謂十年博千古云（周筤谷別傳）時凌世御官臨
榆知縣先生過其官署凌君於萬指紛拏紛應旁午之中為先生置酒
論文因及劉歆七略與後世識家藝錄同異商榷流別彈劾利病娓娓不
倦達夜分始罷（凌書渠哀辭）是冬先生去永平（題朱滄湄詩冊滄湄之父官永平也是年又為滄湄塾文丞於遠臨）
癸卯甲辰之間永定河道南部陳琮雲楷先生撰河志云（曾燠亭侍書序）

乾隆四十九年甲辰　年四十七歲

是年先生去永平主講保定之蓮池書院（凌書渠哀辭）自東徂西去以千里山程

十七　淮陵范氏

四月第一到北京

顛頓書籍復有損毀 乙卯藏書目記

乾隆五十年乙巳 年四十八歲

是年主講保定之蓮池書院諸生多授徒為業先生以為童子之學端以先入為主初學為文使串經捜史而知𢟍要庶不誤於所趨因條二十六通以為之法說其平易而高遠者亦不外是矣 論課蒙學文法 按此文甚繁不及備錄譚獻復堂文存章公傳節錄此文略曰使孺子屬文能僅片言數語必成其章者取左氏論馬君子設辭熟讀而仿為之孺子能讀左傳者未必遽能運用今使仿傳例為文知用以論馬是以馬實為秋而設論為春華矣左氏春秋稱述易書詩禮孺子讀經傳而不知所用則多數而習之援經證傳之文辭摘而先之根柢深厚初學先為論馬繼則論人論馬之文所謂疏通知遠本於書教論人之文含蓄抑揚詠嘆本於詩教多數左傳人物而學論贊必讀司馬遷班固傳孺子因論贊而知紀傳之馬因紀傳而妙解論贊之文論人之功既畢則於左氏春秋之業思過半矣童孺知識初開肯學為文必有天籟自然之妙非雕琢以後所能及也迎其機而善導焉之以孝代啟自論馬論人以下誤源迭更後又使之循環其所終身用之不竭也 仲秋二日刻太上感應篇成繼其祖君信先生之志也 刻太上感應篇書後 冬自保定暫至京師館同年生潘編修庭筠家時潘居與化寺街與任君幼植居衡宇相望談宴流連互為主客留旬日出都

為本師硃批寫書校字
其師蓉君文

（任幼植別傳）是年張介邨赴都與千叟宴先生為撰御賜鳩杖之記（張介邨先生家傳）

乾隆五十一年丙午　年四十九歲

先生主講蓮池書院已三年保定為畿輔首會丁酉鄉試同年生之官斯土者與鄉搢紳皆得以時相見而乙巳丙午之間四庫敘勞以縣正州佐試可於督府者又若干人乃相與醵資觴会於蓮池講藝之堂各書貴系年甲辰教授對成編五月下浣先生為之序（保定公会丁酉同年齒錄序）是月張南邀先生偕遊古蓮華池十二月十日張君挈其子次豐偕王十二踏月夜訪先生邀先生觀古蓮池霽雪餘景先生呼次子授吏偕往有月夜遊蓮池記（月夜遊蓮池記）

乾隆五十二年丁未　年五十歲

是年蓮池辭館當道交疏至典史肯議為寫白字乃移居旅店進

一八　淮陰范氏

按丁巳歲暮感懷詩題有云甲乙兩主蓮花池桐園設勤推頑妍又云打府荒涼錦盆芸桐園蓋指梁文定文定以五十一年十二月卒次年先生即羈館是先生之主蓮池必文定薦之也

是年力償文字債撰述誌付勒成卷軸

退無門或云戊戌進士甫選先生試往投牒（丁巳歲暮書懷投贈賓谷轉運因以誌別注）遊京師遇宵小剽劫生計索然困京師者一年（蔡漈州哀辭）寓同年友刑部金君光悌家（書宋孝女）又與陳光第遇於部編修家（會稽陳君墓碣銘）是年先生五十生朝正遊京師主甄青圃家青圃為先生置酒盡歡（甄青圃六十序）先生既待選然心惴惴恐其得也冬間已垂得矣決意捨去（丁巳歲暮書懷投贈賓谷轉運因以誌別詩自注）[illegible]（蔡漈州哀辭）返保定十月周君震谷亦至先生與周君論課童子法攘袂紛爭雲滃晴坡亦至皆不及攝童僕皆酒之乃失笑索酒酣飲大醉（亡友侍周震谷跋）先是鎮洋畢沅於乙巳由陝西調河南撫巡擢湖廣總督未行以伊陽拒捕案被議留任（李元度國朝先正事略）先生之遊河南也在是年仲冬其端自永清周君發之周君見秀水朱氏作經義考未及於史以詔學涂塋之閫知畢公心羅二十三史之古文綜八十一家之奇而先生於史学亦窺涯涘可以備佐是以靦縷於畢公而督先生以行役

錢大昕撰畢公墓誌銘同

時先生方見嗤斥鶚蟠屈窮途瞻企欣然（嘉業堂刊補遺上畢制府書）乃上書畢撫台
贄以舊刻和州志例二十篇永清縣志二十五篇（上畢撫台書按各本此篇題之下注云己酉十一月二十九日誤也蓋其文中有
僑寓保陽之語己酉則先生方在安徽家寄亳州無緣又居保陽也且己酉年畢公已授湖廣總督亦不得稱為撫台以當保陽稱撫台推知其必在此年蓋己酉年別有上畢
制府一書各本缺而未刻遂誤注彼書之年於此耳）既就道念或東郭之竽雖濫則楊朱之路斯歧寸心
交戰逢旦徬徨（上畢制府書）及至畢公方養痾延客而先生於見臥榻（丁巳歲暮書懷）
贈宿谷持匯因以誌別詩）先生摳衣坐末中其口脗畢公豁然稱許先生遂以帮窮
小十餘日雲浮歸標矣（上畢制府書按先生之主講歸德在此年二月先為畢公推薦無疑故於書中述及之也）是年殘冬之
別周君於保府也周君執手於邑如更無見期自先生歷聘幾輔郡縣
其間道周藝取以笈及久要之故不乏其人半以君為介紹至是幾輔交窮
又揭揭而南矣（周震谷別傳）是年先生長孫女及第五子殤於保定（丁巳歲暮感懷詩注）
乾隆五十三年戊申　年五十一歲

淮陰范氏

是年二月二十一日發封開访洪稚存不晤按去年冬先生既見畢沅沅為位置歸德主講先生与稚存书述其旅程所经知其由開封谷叙也四十里至陈留又二十五里草店一宿鷄鳴宵征三十五里杞縣小食七十里睢州二十三日行五十里寧陵縣買麦餅作中食天卓午矣自此以东皆昨歲黄河漫溢地汐勢迷漫村舍陷地行五十里黄昏始抵郡城夜宿書院中書院在东城内西与府学為隣牓題文正書院有文正祠堂軒敞高爽東西廡則院長所居館舍寬廣足以儋家窗几明淨足以編摹苦無藏書尚未考錄生徒门可羅雀先生乃於三月朔日為始排日編輯史考檢閱明史及四庫子部目錄中有感会培長秋解以為不得與洪稚存武虛谷凌仲子諸人往復其議論也先生之輯史考以為四庫之外玉海最為緊要除藝文史部毋庸選擇外其餘天文地理禮樂兵刑各門皆有應采輯處不特藝文一门已也至檢閱諸書采取材料凡界疑似之间

按此章宗源寄孫淵如書請遺史局与邵晉涵星且立昭文雜考條例求其指助五月二十三日清見子入都赴順天鄉試並致書孫星衍

寧可備而不用不可遏而不采先生致書稚存約端午節後署中聚首按署中者指畢沅撫署也班分部別豎起大間架也以上均見与洪稚存博士書按上畢制府書中述周震谷劝先生為史者云云已詳上年可知先生初見畢公公爲創建斯議即爲畢公推許先生之證而編輯者主此時洪武淩洪君同在幕府亦當分任也是春遣迎家室自保定旅店至歸德書院蔡滦州哀词丁巳岁暮感怀诗中秋下澣四日與陳春因登文雅臺舟游有秋日泛舟濠上記跋於九月朔又與書院弟子王奉謡宋廣啟及先生次子授史等買舟續前游更作濠上跋游記均見本文先生作文之勤多在秋盡冬初鐙火可親節序又易生感也平日所負文債亦每至秋冬一還性命之文盡於通義一書今秋所作又得十篇諸體古文辭一十三篇蓋涉世之文與著作之文相間爲之使其學業變化此既盈卷彼亦成巨册矣流水草本每篇之下必注撰時月日風雨陰晴他日覆閱則知撰文時興会跋戊申秋課按所記通義十篇雜文十三篇其目已不可考矣又今刊各本並注月日者不及十一風雨晴陰則絕無有不知是原缺與抑後人削之也是秋爲庚辛之間亡友傳

按胡適引內藤藏本章氏遺書目有禮教形見云編題下皆注戊申錄稿按三字蓋為先生編次稿存時當係先生一手所有禮教篇已共成否語又記部侍侍郎子商考先生之作部侍在庚申編目之後去此時尚有十年禮教篇尚未或成何錄於此年錄稿內內藤藏本必誤注也

據時當係懷寧之間
此甚

傳中凡十二人侍朝胡士震沈業臣陳以綱唐鳳池樂武錢詒徐鄭坡張義年
顧九苞羅有高曾慎（見本文）是冬為顧傳書後並寄永清明年周君以文
付剞（注幼植刊傳按此傳初刻乃單行本至嘉業堂刊入遺書之第十九卷 為剞成時有增改云先生與周君書論其誤嘉業堂刊未改）是年畢沅
授湖廣總督（國朝先正事略）移節漢江一時地主函目盡遷更先生遂詞難迺（三字 剞府）
書冬移家亳州逾月遷家於亳（庚戌以後付此信書後）亳州州知裴振先生同學友也
（裴母查宜人墓誌銘）屬先生撰籍州志（經居何君家信）先是先生家自保定南遷樅陽前後
存書亡三十之一慎恨無已
楹遺（乙卯藏書目記）

乾隆五十四年己酉　年五十二歲
戊申之冬自歸德書院將遷亳州因裒錄一年所著分別撰述與雜爵
文字各為一冊而一時隨筆所記與因請而給者不及裝冊是年之春則又

二十二 三硯堂藏

此段在上年

五月報孫淵如書謂思之所見以為盈天地間凡涉著作之林皆是史學六經特聖人取此六種之史以垂訓者耳 報孫淵如書 按六經皆史之說……[illegible]

岑去不遑面有撰著亦復不能以類相從三月之杪下榻太平使院之百穫齋

為徐使君校輯宗譜 [illegible] 春歸始竟 時馮秋山已為安徽布政使司經九二方修宗

譜以例就正於先生 馮瑶罂別傳 是夏起四月十一訖五月初八得通義內外二十

三篇約二萬餘言生平為文未有捷於此者分甲乙編甲編小引曰向病諸

子言道率多破碎儒者又尊道太過不免推而遠之至謂近日所云學問

發為文章與古之有德有言殊異無怪前人詆文史之儒不足與議於道矣

余僅能議文史耳非知道者也然議文史而自拒文史於道外則文史亦不成

其為文史矣因推原道術為書得十三篇以為文史緣起新著十二篇附存

舊稿一篇乙編小引云此編皆專論文史新訂十一篇附存舊作二篇 姑孰夏課甲乙編小引

編小原道三篇初出傳稿京師同人素愛章氏文者皆不滿意謂蹈宋人

語錄習氣至有移書相規戒者 原道三篇邵晉涵跋 然題目雖似迂闊而意實

之役時則默誦之亦不必皆文字而引机觸與只時存焉矣 姑孰夏課乙編小引

按上所云嘉業堂刊遺書文史通義
卷二載所謂原道原学朱陸及
書朱陸篇後(博約附)東学術(浙東学術)
文理言公文集卷一砭異二
篇固未可確定為此年所作。
詩則此年所作諸題甚多
篇又皆於敘述後一二與始執
丙辰甲編小引所云於且
博約上引沈楓墀論学語
朱陸篇於沈楓墀甚不相
十餘年、裁篇乙卯在乾隆
四十二年頗後各又引沈
既堂語此年為文篇與
此年主講学使幕為先生
等可據證子姓名並
所刊一依年次原編之
次先生編次又依先生原
稿之次序即據執以論定
原年之由序道至文理
十三篇

創闢如云道始於三人居室而君師政教皆出乎天賢智学於聖人聖人学
於百姓集大成者為周公而非孔子学者不可妄分周孔学孔子者不当先以垂
教萬世為心孔子之大学周禮一言可以蔽其全體皆作向似奇深思至確通
又以為淫未經人道過豈得謂陳腐耶 子廷枫跋原道篇後 六月自太平返亳
道出維揚沈既堂先生欲留幾及匝月七月抵亳值大兒婦病亡 若沈枫墀論学
於亳州公廨又借居民間 丁巳歲暮感懷詩注 经营旅殯拮据殊甚八月遊楚十月自
楚中回往返兩月泥塗霖雨役行為勞此後一二月稍過風塵而匆匆歲
事擾擾 志局应酬明年正月志事未能卒業便当挈此遠緒又作楚 八月游武昌十月回亳
游 若沈枫墀論学 起十一月二十四日霽雪夜寒訖明年二月三日繁花釀雨得大小雜
著文稿二十一件 跋酉冬戌春志隋草 長子貽選自京歸亳帶到章氏闕後游記事 及搭書目

乾隆五十五年 庚戌 年五十三歲

和州志已亡刪訂敘例作為一卷又刪訂和州志二十篇為永清新志十篇

先生於正月杪方得離亳三月望始抵武昌襄陽館未成制府即令武昌擇一公館在省編摩十許亦較便也 與邵二雲論學 按先生之由亳而楚本在此年且書中自謂五十過三其為此年事無疑

二月 亳州志亦成於是年二月赴楚之前 按亳州志之成果在何年未有明文並據答沈楓墀書知為是年二月無疑且先生與周永清論文云近日撰亳州志較前有進永清撰志去今十二年和州則十八年矣按和清志成雖無明文和州志之成則在乾隆三十九年甲午自序甚明至是正十八年

先生自謂此志擬之於史當與陳范抗行義例之精亦文史通義中之最上乘自信其非誇也 又與永清論文按先生別有與史餘村一書亦自矜此志之佳今書佚不傳嘉業堂刊遺書中方志略例有人物表例議三篇掌故例議三篇而已浙本則編入文史通義外篇中云

是年方擬由亳南歸故攜一妾赴楚長孫孫瑞於亳州僑居 丁巳歲暮感懷詩注

十二月作任幼植別傳 任幼植別傳按是年又作蘇文忠公生朝燕餅會記孫孫泉讀書記跋皆明記時地確可徵信而胡適所譜記是年所存雜文中有鄭學齋記書後及朱先生墓誌書後二篇按朱陳之作記在乾隆二十四年己卯先生之作墓誌則在四十七年壬寅其去二十四年必前有鄭學齋記書後時人乃比觀而疑議之先生因又作墓誌書後耳若同時非作亦不必待至此年[illegible]

[illegible]注識庚戌所存不必是庚戌年作也

閏四月著任緯紀年考

[illegible]

乾隆五十六年辛亥　年五十四歲

桐城胡虔修潔好学善為古文詞是年與先生同客武昌督府（胡母朱太孺人墓表）胡君於襞積之功比先生為縝密而先生於論撰裁斷較胡君為長互資長技云（又上朱大司馬書）述胡君在楚中甚為先生所苦云（姚氏惜抱軒尺牘与謝蘊山按先生与胡雖君所為傾服而推信識其為實處所苦此然是意見偶有参差而已）是年先生修麻城志（横通一篇按是年所作有陈伯思別傳周書昌別傳皆有年月可稽胡 [illegible]）

乾隆五十七年壬子　年五十五歲

是年夏先生長子貽選北上訪周震谷於固安河官之治時周方病甚至冬而逝先生為作別傳（周震谷別傳）貽選北上蓋赴順天鄉試（張介邨先生家傳）是年又為朱先生作別傳（朱先生別傳文中有下卅十年語推定）文昌賦小有改異郘二雲向其義例先生答之（答郘二雲）先是先生既為畢公撰史籍考前見至是又任湖北通

秋帆節撫豫開文雲館紀略

志事 按檢存稿未詳始事年月而孝義合祠碑記謂乾隆壬子建祠時先生承乏通志之役是通志始於此年也然先生代畢公作通志序則謂乾隆五十三年總督湖北湖南軍務逾年創修湖北通志是修志起於五十四年与孝義祠記不合此蓋創意始於五十四年而延士裁筆則自此年為始耳故上年先生為麻城修志以府縣無新志則通志亦無所借手故遲至是年耳 前後數年間先生又修有常德府志為畢制府撰常德府志序 荊州府志為畢制府撰荊州府志序覆崔荊州書 參訂其書者則有石首縣志与石首王明府論志例 廣濟縣志根廣濟黃大尹論修志書蓋此時方修省志各府州縣承檄採訪故一時多有續修先生所參訂當不止此數志也其年月先後多不可攷姑附于此 先生遊楚本為餗山之計無如楚宦清苦未能遽遂所求幸大府力拯援之得以通志書局相羈云與王春林書書中又云告成足以歸隱先壠所餘以置十畝三椽之業八口恃以無凍飢鼴鼠飲河不過滿腹此時所得以視得意宦途未之以為百一而倚畢中出寧百里百憂萬慮終身不得寧謐而并此十畝三椽不得其所則比比也以此自遣且以為知我者默觀此書可見先生之恬澹 是年有與邵二雲論修宋史書以書中有邵年五十之語推定之又設近撰書后之所編所見較前此有進境与方志三書之設同出新莫知此三篇亦是年所作

乾隆五十八年癸丑 年五十六歲

癸丑先生家累自亳歸鄉水程安穩乙卯藏書目記按先生自亳赴楚僅攜一妾自隨家人仍居亳至是遂歸鄉故元則公文昌石二代合傳亦記癸丑甲寅余始得以室家歸里 先生方遊楚計卷軸從此著土不復遷也楚多材植

二十四

或謂為畢制軍与本年稍宮屠瑞綬繼如為癸春所錄存[illegible]此誤亦詳丙辰年下

木器價廉因製楠木書廚十二寄隸收藏精要諸书而先生楚中又有所境比較先伎視先生父勵堂所存殆十倍矣乙卯藏书目錄記

乾隆五十九年甲寅 年五十七歲

是年畢沅入覲天津行在是秋坐失察湖北奸民傳教左遷山東巡撫李元度畢公事略錢大昕撰畢公墓誌銘同

先是先生草志稿為眾謗聚閧久矣湖北通志檢存稿劉湘煃傳跋按与陳工部論史学书上饒书亦外見而水佛之口已謝設失不合兩衣礼記又有張某飾詞赴訴之事蓋修志本易招毀如此也會制府入覲囑先生於撫軍劉湘煃傳跋按此撫軍未審何人胡譜[illegible]是惠齡[illegible]撫軍[illegible]及按代畢撰通志序云義与先伎巡撫任惠齡任福寧刘惠齡是前任也胡氏之說[illegible]玄官現任此为是福寧撫軍數自命斯文也先生初見即呈劉湘煃傳稿隱存專門難索解人之義不詔視如糞土劉湘煃傳跋時秀水陳增進士於先生之將行求薦司校刊之役校刊者校字句之錯訛也先生為究轉薦於当事当事方疑先生有私彼一旦承委即修心大熾不以校刊為事竟將全志指斥以為一字不堪取用

二十二 二二 硯堂鈔藏

公然請獨任重修，意亦不過為多冒公費起見耳。然當事畏難，事遂中止。其指駁之說，竟無一字可通。然當事批其稾揭云所論具見本源。（湖北通志檢存稿歐魏列傳跋。按先生對於陳增反噬一事最為痛心，文中每致慨憤，茲錄一則，餘不具引。）先生因著辨例一卷、駁陳增議一卷，以明義例。（按辨例之作，乃志局答辨之詞；駁議則先生去鄂後推闡之作。）先生之去楚，志稿交令胡君齊崙。時以安襄兵備道署武昌知府。蓋制府既去，無知者，謗議方興。而蘄州陳工部詩者，楚之宿學，曾以十年之功自撰湖北舊聞，博洽貫通，為時推許。陳同衆謗羣閧，而獨識先生書之非苟作。正客胡君幕中，故胡君請於當道，以書屬陳校定。先生臨別時，陳云：「吾自有書，不與君同面目，然君書自成一家，必非世人所能議其得失也。吾但正其譌失，不能稍改君面目。」蓋陳君通人，是以其言如此。（丙辰札記）先生之撰通志，於衆謗羣閧之際，獨恃督府一人之知，用其別識心裁，勒成三家之書，各具淵源師法，以為撰方志者鑿山濬源云。

自翊雅有一得之長非漫然也與陳工部論史學書書中具述文史詳裁與撰志之苦心文繁不録三書者一通志二掌故三文徵列卅叢談不在三書之列詳先生為畢制府撰湖北通志序文繁不録精采見於志稿此外所為皆賸也跋甲乙賸稿

乾隆六十年乙卯　年五十八歲

乙卯返故鄉四十五年不家居二十年不踐鄉地跋甲乙賸稿遠道踈來葺居僅足容身器用尚多不給而累累書函乃為長物可慨也夫因命兒輩稍分甲乙登注簿籍備稽檢耳未足為藏書目也乙卯藏書目記是年畢沅再任湖廣總督聞苗疆有警即馳赴常德籌畫轉餉時六省兵會剿供支日不下數萬公移駐辰州督運軍儲輸將相繼李元度畢尚書事略兒豈先生游楚五年為畢制府撰史攷功程僅十八九以至是苗疆稽討未得卒業與阮學使論求遺書　十月遊於揚州有邗上草跋甲乙賸稿按是年所作有秋梅唱和小引重修揚州唐襄文公祠記高郵沈氏家譜序均明載年月沈氏家譜亦先生所主撰特未尸其名耳又為張松坪撰墓誌銘見丙辰札記謂在乙卯冬亦是年作也又有未言年月之事蹟可攷知者為與阮學使書論求遺

書述謝承汝學術收藏源流甚詳至乙卯札記雖題是年而實難限斷

嘉慶元年丙辰　年五十九歲

丙辰二月自揚州暂歸（跋丙辰山中草）過墟中（稱山章氏役宅分祠碑）時章氏宗人修葺家廟落成將享適老宗有疾命先生攝獻酬祀畢班宴因與宗人論舊譜輯先世遺聞軼事（元則叉呂二代合傳）先生族子鈐者方建分祠請先生文記以勒於碑（稱山章氏役宅分祠碑）是年春湖北枝江賊起詭稱白蓮教而宜都長陽長樂教匪應之畢公馳赴枝江奸民分擾諸縣諸軍分剿公攻當陽縣境悉平後至襄陽邀擊賊破之公密奏撤兵防守未幾大兵平隴詔公馳往苗疆籌善後（李元度畢尚書事略）時先生以楚中教匪尚爾稽誅叙山制府武備不遑文事史考之局既坐困於一手之難成若顧而之他亦深惜此九仞之中輟遷延觀望日後一日（上朱中堂世叔書）先生朱珪於乾隆五十四年授安徽巡撫至是授兩廣

總督兼署巡撫六月有旨內召俄請前命仍授安徽巡撫李元度朱文正事略朱先生
上書朱中堂請賜郵書推薦館穀則課誦之下得以心力補苴史考
以待弇山制府軍旅稍暇可以蔚成大觀亦不朽之盛事上朱中堂世叔書 遷延過
夏以至仲秋始決計北上跋丙辰山中草沿途託鉢惘惘待僮來之館穀可記憶
矣上朱中堂世叔書 九月十九日自杭州解纜致邵會稽書 歲杪來止安慶陳東浦方伯詩序按先生自家北上終止
安慶其間曾過揚州於與邵會稽趙山陰兩書中言之且謂史考餘功未竟擬草竄稽誅
歲內總當一往以俟揚州開局則春初當來反又謂楚芬翁請即為赴楚一行大約書局仍不
離揚州云云是先生必曾逕過揚州惟文字不明晰耳 是年有丙辰山中草草中有論學十規吉文十契淮南子洪保辯祠堂神主議及時文序二首
約觀戲鐘堂跋別有丙辰札記能題是年並所記殊雜限斷與乙卯同或謂是年為汪龍莊史姓韻編及同姓名錄二書合序又有與汪書說明合序之故按其說非也蓋與汪書中
不詳年月僅於題下注三月二字似缺定其為此年耶今剗刻通又外篇上二書各有一序韻編序世年月同姓名錄序題嘉慶戊午暮春 先是畢公嘗以二十年
功屬客續宋元通鑑未愜心屬邵與桐更正邵出緒餘為之覆審其書
即大改觀時畢公方用兵書寄軍營公大悅服手疏書報謝邵與桐別傳 先生亦

錢大昕年譜誤於嘉慶二年為畢公勸續通鑑於乾隆壬子通鑑寄稿與錢乃遂已丁巳校為手校訂於德實誤說不合

按王編原目有與孫淵如觀察論學十規而文則闕佚新刻本無之今北京大學藏鈔本有此篇之文甚數千言辯駁訓諭不遺餘力斯其快之不殊乘斯道故王編存其目而刪其文也

嘗參與其事至是先生為畢公作書與錢大昕論其義例為畢制軍與錢辛楣宮詹論續鑑書按邵侍郎實曾與錢書題畢制軍則續鑑之成為在畢與以後為則當稱制府不當稱制軍也去年湖北能已有兵乃並畢沅從任持餉此年方躬自馳剿且畢沅卒於明年故邵侍郎公旋薨於軍倘在去年則當從三年不得謂之旋也故以續鑑之成次之於此今刊本題嘉慶二年時日相接亦不為謹而或者謂續鑑修成在乾隆五十七年壬子以事致之實然未然是年邵與桐卒年五十四見邵刻侍貽選注

嘉慶二年丁巳　年六十歲

丁巳之春遊古皖天玉經解又序按先生於前歲秋來安慶尚未歸也披覽潤水集疵病甚多欲以書規之為原性篇書後與朱少白書按書原性篇後無年月而與朱書則疏在今年也姚姬傳動以筆圈点之又與朱少白書按先生學向與姬傳實不相合也文書中對於戴東原原善諸篇推徵醇邃實有古人未發之旨云為陳東浦詩集作序按係為安徽布政使是年移部蘇州先生為作序贈別季春在桐城閱試卷與縉紳知好多為文酒之會丙辰札記是年朱珪授兵部尚書調吏部皆留巡撫任宿靈璧水合肥苦處旱皆親賑之民忘其災李元度朱文正事略桐城沈明府面求尚書委赴靈璧

二十六　淮陰范氏

錢大昕撰畢公墓誌銘謂畢之卒在本年秋七月庚午

監賑故忙忙趕完覆試東人既去先生隨意盤桓此間志事可圖而不甚高興揔因心存大欲又答朱少白书按大欲盖謂史考見下盖先生於春初曾上书朱石君請其代謀浙江文墨生涯與胡雒君通力合作以終史考之役也又上朱大司馬書云中謂阮学使与謝方伯合彩辑兩浙金石考又補経義考中未録之小学一门任共為胡雒君先生与雒君頗為頻賑故欲与之通力合作此書在正二月間其後竟未能如願云時曾燠自札隆壬子授兩淮鹽運使包世臣芗梅郎別傳按傳謂卒于嘉慶丁卯擢湖南按察去官在揚州凡十五年闢題襟館於邗上公暇與賓從賦詩為樂敦盤稱盛李元度著賓谷事略先生以陳東浦之先容仲夏來秋始見賓谷向醫鑽藥高誼雲霄歲暮辭歸丁巳歲暮書怀投贈賓谷特達因以誌別按此詩叙述一生行事學業極為詳盡不啻自傳今為家為先生作傳多未能得先生之真蓋以此詩附錄譜末以代傳記又按先生之投賓谷蓋其時方欲修志书故應聘而呈詩中有例向方志許參設抵掌仲石砚圖敘之語惟书歿未果修故遠书中亦不述及矣是年畢公駐辰州以炎瘴致疾薨年六十八李元度畢尚書事略先生則史考未成買山空羨矣丁巳书怀詩殘篇自為運籌停終揖軍前頌大星三年落魄還依舊買山空羨林泉茂自注畢公許書成之日賜買山資云云

三硯堂鈔藏

此為胡譜列在乾隆五十八年癸
丑未知何據

嘉慶三年戊午　年六十一歲

戊午暮春下浣為汪龍莊撰三史同姓名錄序 三史同姓名錄序按龍莊著有史姓韻編及同姓名錄二書先生先為撰二書合序一篇又与汪書所收合序之故未詳是何年月今同姓名錄自有一序在先生徇其請更作之也 五月在蘇州陳方伯處 上朱石君先生書題注戊午五月知在此年 節鈔王知州雲龍記略一卷 雲龍記略 又以坊刻人讀論文之評因撰論文辨偽一文并寄朱石君 上朱石君先生書按所鈔乃小倉山房尺牘先生[illegible]與[illegible]問齋[illegible]函詆毀語甚多譏者 立冬日寓谷使君招飲同人徐桂堂太守以八座雲石致贈使君嘉之屬韻分題先生天性不能韻言客有未知者屬得盛字韻授先生先生憮然無以應也因即盛字據為八座雲說 八座雲說按由此說推之先生此年冬季又來揚州惟他文中未有徵耳 先生既為畢公撰史考久之未就宮保下世遺緒未竟實為藝林闕典因增加潤飾為成其志共三百二十五卷 史考釋例按釋例又云宮保下世因就其家訪其殘餘云云是先生於畢秋帆死後曾往鎮洋求其原稿也其說實自未可信蓋先生雖自楚回而史攷之業未嘗一日輟屢於遺書中言之特值程爾帶不如在楚開局之便利耳是原稿多為先生所隨攜豈必待秋帆死後即其家而求哉[illegible]釋例又

二十八　淮陰　范氏

先生並未為朱氏補闕[illegible]
[illegible]云然其意指[illegible]
啟泉小子為[illegible]言此時
先生之史學未成而私人之
力又有不足因[illegible]同[illegible]
蘇州道入其幕為撰就
之故例中但作諸口吻也
又[illegible]復[illegible]之盤桓
因述其原起於此於先生
他文亦未言之及諸者
其故諸中[illegible]
如今史[illegible]既供此之職
[illegible]
[illegible]
[illegible]
[illegible]

謂此書為宮保所創予既為朱氏補經故因思為朱之又久有此志而宮保既已為之故輟筆以俟云云[illegible]帆檣沒在次年釋例未完及故次於此

嘉慶四年己未　年六十二歲

是年有上韓城相公三書 按書中謂自丁未叩辭沈浮江湖十二年矣計自丁未至此正十二年書中又謂聖主初親大政首翦鉅憝謂誅和珅亦正此年事故知為此年專所上又有上執政論時務書 此四書皆極論當時吏治之弊而歸罪於設法彌補之害 韓城相公者王杰也

杰韓城人乙巳入值軍機與和珅同列珅雖忌公卒莫能去如此者十數年

及仁宗親政和珅以罪誅公意益得發攄將吾緣上疏論虧空驛遞之弊

李元度王杰事略 其論虧空一條即采諸先生書也 上執政書

嘉慶五年庚申　年六十三歲

是年作邵與桐別傳時先生已目廢不能書疾病日侵自恐不久居斯世

口授大略俾兒子貽選書之 按傳中謂邵下世五年故知其為此年所作

看為汪輝祖作據
實總論中有叙字未
安，鄭閱桂馥商榷
再三，稽留而疾作，遂
成絕筆

嘉慶六年辛酉　年六十四歲

先生卒於是年十一月（汪輝祖夢痕餘錄）生平不好吟詠，臨沒題隨園詩話，論甚正（兩浙輶軒錄補遺）先生所作全稿則付蕭山王穀塍校正（按浙本文史通義有先生次子華紱所跋，謂於易簀以稿付王，而王穀塍晚聞堂集有後實齋書，商編㪚例，且為擬跋原道中數語，及質性篇題目，又擬刪卻侍中一句，是先生屬晚聞校定時，往復函詢，時日必多，倚至易簀時方始付與，仍得如此從容，晚聞之言，不且為孝標之答秣陵歟，必不然也。且華紱跋又謂穀塍先生旋歸道山，而蕭穆孜知王先生年壽頗高，實齋卒於道光七八年，距實齋之沒又二十四五年，不知華紱何所見而云然，由是知華紱所跋，實不足據。蓋既經刻子敬、姚春木重編，對於晚聞事實，固已無暇深考矣。夢痕餘錄謂付稿在未卒之數月前，或近真也）

先生子女甚多，其可考者四人。長貽選，字杼思（貽選事蹟書中累言及之，其字杼思則見浙本文史通義華紱識）次授史，字次璜（見先生所作月夜遊蓮池記）次華紱，字緒遷（華紱事亦累見遺書，其字緒遷見黔本文史通義季真跋）四子某，名不詳（劉刊遺書附載章貽選上朱石君先生書，謂其四弟館鄧者州，誰索其先君著述云云，知實齋尚有一子，惟不賢耳。四子之外，雖未審尚有他子否，未見章氏家譜，僅就實齋遺書參稽之，不能備也。先生諸子多遊幕四方，蓋浙人習尚如此，且亦冀其求衣於給也。又按月夜遊蓮池

十九　淮陰　范氏

記稱按史為次子而貽選上朱石君初又稱華紱 曾孫曾之可考者孫某字同卿
為二舍弟貽選二人實不害語亦不能決其孰是也
見黔本文史通 又王秉恩跋 曾孫季真字小同 亦見黔本跋季真即同卿子跋中稱華紱為
伯祖則華紱為先生之子則同卿亦同是曾孫矣
此當即四字為衍文則季真為先生之孫矣 則亦實齋為叔祖季之次也
此先生實齋之子之曾孫之譜不能決

附錄一

丁巳歲暮書懷投贈賓谷轉運因以誌別

蟄夯兔絲杓吳石魚桐扣青霜豐（按首句似脫一押韻字劉刊本亦此無從校補）鐘鏗紫氣匣劍剖龍虎變化風雲從天涯何處無遭逢溜灑涇渭各自媚大壑無我皆朝宗東海鯤生最蕭索衰駘天選良非悲孤情僻性真奇窮乾坤莽莽懸瓠落少年隨眾逐辭場十戰九北何郎當秋風黃葉長安道夜雨青鐙邨学堂長安米貴居不易奉母將家困僑寄摩擬潛消筆墨靈蹉跎暗折江河氣掉頭十載京華春蠖屈自詭亦有伸先

芳連拔自丁戊文章遇合如通神前後司衡於薦剡壘叢聖主春風
領佳話流傳播搢紳風塵耳目爭睗睒誰知管城骨相屯境遷事往
終沈淪北堂萱謝南路絕衣食奔走嗟艱辛辛丑中州尋舊雨失比
遂遭群小侮蔡蘇秦游困既喪資蔡澤塗窮更奪辭故人作宰肥
子鄉為我休蔭停跟蹌筆叢文酒劇歡會歲暮風雪忘淒涼壬寅癸
卯勤講課北平試擬皋比座地交山海少耕糧廟近青齋嘗苦饑甲乙丙
主蓮花池相國殷勤推項斯琳宮提舉比祠祿所愬惠好為人師相
府荒涼韓愈罷承蜩伎捷斯文詫朱文曾動天子顏（自注戊戌榜前闈中進前列殊卷有
醇正之論）白字竟遭縣尉罵（自注蓮池辭館時書道交疏至典史背议為寫白字）丁未又困京洛塵選部
有官不敢徇（自注中道朊飯進退無門或云戊戌進士簡選識往投牒心惴惴恐其得也冬間已垂得矣決意捨去）晏歲倉
皇走梁宋才拙豈可辭賤貧鎮洋太保人倫望寒士聞名氣先

壯哉門長揖不知慚奮書自薦無謙讓公方養疴典謁辭延見臥榻
猶嫌遲解推遽釋目前困迎家千里非逶迤宋州主講緣疑鳳文正
祠堂權廟祝潭潭深院花木饒僑家忽享名山福戊秋洪水割荊州
大府移鎮蘇虔劉坐席未煖又揭揭故人官亳卿相投己酉春夏江
南北馳驅水陸無休息秋冬往還江漢間癸卯歲稔旌門閑庚戌重
來啟書局編纂萬卷書賃屋四年轉輾五遷家疾病殤亡又于屬
雞犬圖書行李間更堪旅櫬波塵逐人言官畏屢貿何況區區詩
館穀（自注：壬寅自京師以十口之家遠館永平甲辰自永平攜赴保定皆作三二年住以
從家口漸增至二十人矣丁未保定失館轉居旅店戊申自保定旅店迎至歸
德書院其冬又遷亳州公廨己酉又借居民間庚戌舉家方擬由亳南歸遂攜
一妾赴楚前後十年所入約二萬金為水陸奔馳竟無寧歲又戊戌內艱後庚子
第三女殤壬寅亡妹疾卒丁未長孫女第五子殤於保定己酉大
兒婦卒於亳州公廨庚戌長孫殤於亳州僑居皆先後歸葬）自庚徂甲五春
秋飽看山青江漢流春風草綠晴川閣霽雪梅開黃鶴樓三苗背化唐

橐禪軍府勞心歷征繕殘篇自為運籌停終根軍前隕大星三年落魄還依舊買山空羨林泉茂（自注：畢公許書成之日贈買山之資）祇合馳驅畢此身生辭官翻似鶴官守南豐先生為代奇家學世業儒林師瀛台星署抗高步淮南秉節平度支歐蘇舊治即家法大雅扶輪轂醫氣手治冠蓋輻輳東南都、公四子慚孤狭潯陽使相東浦公乃與公閱為先容仲夏偈來秋始見白日無檄醫頭風先生高誼雲霄上全人肩肩視甕盎問醫餽藥使頻仍自慙何以答嘉貺目之步也不如人況今垂老憂患頻例閒方志許參校抵掌伸眉欲圖效昉視跛行別有優此事略解陳前籌同官外史領方志成周一道同風治乘杌春秋各擅名侯國政制非西京志為國史舉全體陋儒誤認為圖經司書版圖有專職如何方志混白黑（方志乃一方全史也，而自來誤以地理圖經為外史之方志，然則司書所掌之版圖又是何物）封建郡縣今古殊民彝物則

無汚隆行八五物獻尚宁風詩采貢國史序古人经緯自分明後人不復
辨牛鼠獲麟绝筆直至今歷史得失可窺尋史遷義本風詩出比興偏
長弦外音班書典肅原经禮官儀左國鄙其辭蔚宗習染近文人別
裁间出猶鮮訛陳氏三書有徵實陽魏陰刘褒貶異造奇逞織巧術
殊魏收沈約尚存家法非全誣子顯有書真破碎史作雕蟲晦梁齊陳周
有完缺北齊北周古今不全自鄶無譏一埽職南北二史誇翦裁纖紵敗絮如紛
殊唐初晉隋出眾手晉雜隋純非例推劉昫舊唐號蕪滓歐宋
新書矜後起能云文省事能增未免適屨还削趾歐陽五代世稱
奇学完春秋久選史歐陽取法春秋更不免識易其学史記頗似古文選本中見解不得史家大體非指梁文選也元修
三世明修元大卑冥冥塵末已聖人制作是為经筆削前朝萬世型
八旂志仿全史例方志尚知奉法程乃知偏主圖经類夏蟲朝菌

空紛爭迂談屢為時俗笑山水曲待鐘期評文定詩才本清穆山僧夜話非論篤（冷齋夜話謂子固不能詩）瓣香偏似遇追摩步窘吟詩若局促南豐豈賢喬八面才餘事為詩如探懷春蠶作繭金鑄鼎化工賦物無安排瑤章惠我見欲啞措語無多神相出纏綿厚意渥春溫但恐醫门遂多疾欲和佳篇屢輟題小巫氣折大巫低晏歲辭歸聽留別長歌強效鷓鴣啼

附錄二

章實齋先生著述考

文史通義　校讎通義　史籍考　補經義考　文集

湖北通志　湖北通志檢存稿　和州志　永清縣志

亳州志　麻城縣志　荊州府志　方志義例　宋史

信摭　乙卯札記　丙辰札記　知非札記　閱書隨札

附錄三

曾燠贈章實齋國博詩

章公得天稟贏絀迥殊眾豈乏美好人山中藏空洞君貌頗不揚
往往遭俗弄王氏鼻獨齆許丞聽何重話仿仲車畫書如潞下諷又嘗
患頭風無文堪令痛況乃面有瘢誰將玉琢礱五官半虛設中宰
獨妙用試以手為口講學求折衷有如遇無明一語甑發中古來記載
叢處置可充棟岐路互出入亂絲鮮穿綜數然條例紛纖以呈乞訟孰
持明月光一為掃積霧較君雅博亦書出世爭誦筆有雷霆聲
剌訂上下閱緯經追溫公選文駁蕭統乃知貌醜人山雞誤為鳳
武城弦子羽誰與子游共戚君惠然來公時當遠從

後記

二弟滋存有先父手寫之《章實齋先生年譜》，乃紅衛兵橫劫後漏網之魚，更爲珍惜。原鋼筆字跡已有漫漶現象，經重新謄錄，並將原寫於書眉之注插入正文。震於去歲（一九九二），攜來台北，迄今已逾一載，尚未能付之剞劂，悚然以驚，何如此遲緩也？

緣以減少出入國門之煩，去年五月底至滬二次探視諸手足，六月初逕赴美國費城主持長子肇嘉與劉府櫻鋏小姐之婚禮。首次遠遊異域，往返二度時差，年屆古稀，適應較慢，雖歸而未能積極工作，九月始自惕不可再虛擲光陰。卻爲校勘滋弟抄本譌誤，越三月而未竟，蓋時見錯漏字句，曾多次反覆詳讀，益增疑慮。致停滯不前，困擾終日，無以得解，遂成頹然中輟之態。

余嗜籃球，四十餘年前爲國防醫學院校隊隊長，其時之教練爲台大體育教授劉秋麟先生，此四十年間時相過從。劉教授後兼任東吳大學體育主任，得與中文系主任劉兆祐教授相交頗深。經轉介慨允賜助，每向其當面請教，各項疑點得以逐一順利解決，準備付梓矣。

兆祐教授及文史哲出版社彭正雄社長均主應以原稿照相製版。惜多處有上下眉注，則全頁版面似嫌狹長，又有年久墨水變色及紙張腐蝕使字形破損，幾經商討，決定模糊處小心描潤復舊，版面則縮小配合。其上下眉注之頁，自顯得較爲零亂。至是，大事底定，準備送往印行，然又有情況：

抗戰期間，曾與先父於江蘇省寶應縣共同研讀《莊子》之郁念純及芮和師二位先生，輾轉得知震在台灣刊刻先父遺著，急切間取得連絡。特別告知於民國三十四年（一九四五）曾借錄先父舊著《說文部首授讀》註(一)，當時局面混亂，未能及時歸還，因而躲過紅衛兵之無理劫掠，尚存於念純師兄處，旋即送交大姊珊祜之手，誠大喜事。尤有奇者，念純師兄僅憑文化革命後期，無意間曾見有人轉抄先父所著《周易詁辭》及《莊子詁義》二稿，雖事過數十年，竟能於二月內多方設法、循線追索，終於出現奇蹟，自圖書館中借出影印，並即由其校訂句讀中註(二)。此情況雖與本輯無關，但影響心情至鉅，整理工作曾因之而一再中輟，拖延迄今。

本叢書至此已達八輯註(三)，以此輯煩請賜助者爲最多：東吳大學劉秋麟教授、台北市立師範學院劉兆祐教授註(四)、國立政治大學司　琦教授、顧立三教授、程大千教授、董金裕教授註(五)暨文史哲出版社彭正雄社長。特於此敬謹拜謝，一書之微，驚動如許之人註(六)，皆緣震弟兄之不學，未能儘早完成先人遺願，憾且愧矣！

中華民國八十二年十二月江蘇淮陰范　震恭識

註：㈠已於八十四年三月出版，爲本叢書之八。

㈡已於八十七年二月出版，爲本叢書之九及十。

㈢其時爲本叢書之八，現則爲之十一矣。

㈣現已榮任北市師院中文系所主任。

㈤董教授出力最多，標點、訂正並序。且現已榮任政大中文系所主任，除教學外復多行政事務，煩其最後校訂，實深感激！

㈥尚有趙心鑑、盧百生及任明藻三位老友，大力支持，隨時賜助，否則，尚不知將延至何時也。

八十七年十月范震　補記